Termau Amaeth

R. John Edwards

ISBN 1 871913 86 1

Cyhoeddwyd gyda chymorth Awdurdod Addysg Gwynedd.

Argraffwyd gan Wasg Ffrancon, Bethesda.

Y Ganolfan Astudiaethau Iaith, Safle'r Coleg Normal, Bangor, Gwynedd.

RHAGAIR

Dros y blynyddoedd, fel y gellid disgwyl efallai, diflannodd llawer o dermau amaethyddol a thermau gwledig; aeth rhai yn aberth naturiol i ddatblygiadau newydd, ac eraill, gwaetha'r modd, ar goll ac yn angof oherwydd dylanwad yr iaith Saesneg. Wrth gwrs, wrth i'n ffordd wledig o fyw newid ac wrth i'r dechnoleg amaethyddol newydd gael ei chyflwyno, fe ymddangosodd llu o eiriau newydd dros y blynyddoedd diwethaf.

Mae yn y llyfryn hwn ymdrech i adolygu'r sefyllfa; trwy gyfrwng rhestr o eiriau Saesneg a'u cyfatebion yn y Gymraeg, ceisir darparu dealltwriaeth neu ddirnadaeth gychwynnol o bwnc sydd wedi ysgogi llawer o ddadlau dros y blynyddoedd. Yn wir, mae'n hen hen bryd cael llyfryn o'r fath, yn enwedig gan fod cyhoeddiadau tebyg wedi bod ar gael mewn meysydd eraill ers cryn amser.

Mae'n ddiddorol sylwi bod gan lawer o eiriau Saesneg fwy nag un gair Cymraeg cyfatebol. Mae hyn wedi tueddu i gymhlethu'r gorchwyl o drosi rhai geiriau Saesneg gan gydnabod ar yr un pryd ei bod yn bwysig cynnwys cymaint ag y bo modd o eiriau Cymraeg. Gobeithir, felly, y bydd y llyfryn hwn yn apelio at drawsdoriad eang o'r boblogaeth ac y bydd yn hyrwyddo dwyieithrwydd mewn maes sydd eisoes mor gyfoethog o safbwynt ei gefndir Cymraeg.

Wrth lunio'r llyfryn hwn, penderfynwyd canolbwyntio ar agweddau ar amaethyddiaeth, yn bennaf oherwydd y galw parhaus a fu am destun o'r fath. Ymhellach, fe benderfynwyd ar y dechrau anelu at gynhyrchu rhywbeth amgenach na llyfryn cyffredinol i gyfeirio ato ac i ddarparu cyfres o dermau ymarferol a fyddai'n apelio at y boblogaeth wledig a'r boblogaeth drefol fel ei gilydd.

Ynghlwm wrth amaethyddiaeth, mae amrywiol agweddau ar fywyd gwledig, ac felly mae'r llyfryn yn ymwneud â hwsmonaeth da byw, cynhyrchu cnydau, rheolaeth ariannol, gwyddor milfeddygol a pheiriannau.

Ni hawlir bod y llyfryn yn ateb gofynion pawb ond gobeithir ei fod yn darparu sylfaen gynhwysfawr o fewn y pwnc. Mae'n bwysig nodi mai fel fersiwn drafft yr edrychir ar y cyhoeddiad hwn ac fe wahoddir y rhai sydd â diddordeb i gysylltu ag E. Eurwyn Edwards, Coleg Glynllifon, Caernarfon, Gwynedd, i gyflwyno unrhyw newidiadau, ychwanegiadau neu awgrymiadau y gellid eu hymgorffori mewn argraffiad newydd yn y dyfodol. Dylid, hefyd, ychwanegu y byddai'n fuddiol dros ben cynnwys rhestr o eiriau Cymraeg-Saesneg yn unrhyw argraffiad pellach gan fod cymaint o'n pobl ifanc erbyn hyn yn dilyn cyrsiau drwy gyfrwng y Gymraeg ac yn gyfarwydd â chyhoeddiadau Cymraeg, megis y rhai a gyhoeddwyd gan y Ganolfan Astudiaethau Iaith.

Mae Coleg Glynllifon yn cydnabod yn ddiolchgar gyfraniadau pawb a fu'n ymwneud â chynhyrchu'r llyfryn. Diolchir yn arbennig i R. John Edwards a ymgymerodd â'r gwaith o gasglu'r termau, a hefyd i Ieuan Bryn (Coleg Meirionnydd) a Geraint Evans (Coleg Pencraig) am eu cyfraniadau hwythau. Dymunir datgan gwerthfawrogiad hefyd i J. Elwyn Hughes a Staff y Ganolfan Astudiaethau Iaith am ymgymryd â chyhoeddi'r gwaith ac am sawl awgrym buddiol a dderbyniwyd yn ystod dyddiau cynnar y fenter. Cyhoeddwyd y llyfryn hwn gyda chymorth ariannol o'r Swyddfa Gymreig.

E. Eurwyn Edwards

Darlithydd Hwsmonaeth Anifeiliaid Coleg Glynllifon

A

abattoir, lladd-dŷ (eg), (ll. lladd-dai).
abdomen, abdomen (egb), -au; bol (eg), -iau; rhumen/rwmen (egb), -au.
abdominal, abdomenol (ans).
  abdominal cavity, ceudod (-au) abdomenol (eg).
abnormal, annormal (ans).
  abnormality, annormaledd (eg), -au; annormaliaeth (eb), -au.
abomasum, abomaswm (eg).
abort, erthylu (be).
  abortifacient, cyffur (-iau) erthylu (eg).
abortion (act of), erthyliad (eg), -au.
  abortion (product of act), erthyl (eg), -od.
  contagious abortion, erthyliad (eg) heintus.
  enzoötic abortion, erthyliad ensoötig.
  habitual abortion, erthylu (eg) cyson.
  salmonella abortus ovis, salmonella abortus ovis.
  toxoplasma abortion, erthyliad tocsoplasma.
  vibrionic abortion, erthyliad fibrionig.
abrasion, crafiad (eg), -au; ysgythriad (eg), -au.
abscess, crawniad (eg), -iau; cornwyd (eg), -ydd.
absorb, amsugno (be).
  absorbance, amsugnedd (eg).
  absorbent, amsugnol (ans).
  absorption (food, water, etc.), amsugniad (eg).
accelerate, cyflymu (be).
  accelerator (tractor), cyflymydd (eg), -ion; cyflymiadur (eg), -on.
  accelerator (of nerve, muscle), cyflymydd (eg), -ion.
accessory, atodol (ans).
  accessory bud, blaguryn (eg) atodol.
  accessory bone, asgwrn (eg) atodol, (ll. esgyrn atodol).
  accessory nerve, nerf (-au) atodol (egb).
acclimatize, hinsoddi (be); ymhinsoddi (be).
accommodation land, tir cadw (eg).
account,   1. (bank), cyfrif (eg), -on.
  current account, cyfrif cyfredol.
  debit account, cyfrif dyledion.
  deposit account, cyfrif cadw; cyfrif adnau.
  joint account, cyd-gyfrif (eg), -on.
  2. (report), adroddiad (eg), -au.
  give an account of, rhoi adroddiad am/ar.
  account for, rhoi cyfrif am.
  accountant, cyfrifydd (eg), -ion.

1

accredit, achredu (be).

accredited, achrededig (ans).

accumulate, ymgasglu (be), ymgronni (be).

accumulation, ymgasgliad (eg), -au.

substance accumulation in tissue, sylwedd yn ymgasglu mewn meinwe.

accuracy, manwl gywirdeb (eg).

accurate, yn fanwl gywir (adf).

acetic, asetig (ans).

acetonaemia, clwyf melys (eg); asetonaemia (eg).

acetone, aseton (eg).

acetylene, asetylen (eg).

acetylene welding, weldio (be) asetylen.

acid, asid (eg), -au.

acid strength, cryfder asid (eg).

amino acid, asid amino.

ascorbic acid, asid asgorbig.

acetic acid, asid asetig.

butyric acid, asid biwtyrig; asid bwtyrig; asid bwterig.

carbonic acid, asid carbonig.

citric acid, asid citrig.

concentrated acid, asid crynodedig.

diluted acid, asid gwanedig.

lactic acid, asid lactig.

malic acid, asid malig.

propionic acid, asid propionig.

strong acid, asid cryf.

sulphuric acid, asid sylffwrig.

tartaric acid, asid tartarig.

weak acid, asid gwan.

action of acid on copper, effaith asid ar gopr.

acidic, asidig (ans).

acidify, asidio (be).

acidity, asidedd (eg); suredd (eg).

acidosis, asidosis (eg).

metabolic acidosis, asidosis metabolaidd.

renal acidosis, asidosis arennol.

respiratory acidosis, asidosis resbiradol.

acidulated, acidified, asidiedig (ans).

acquired, caffael (ans).

acquired features, nodweddion caffael (ell).

acquired immunity, imwnedd caffael (eg).

acre, erw (eb), -au; acer (eb), -i; cyfer, cyfair (egb), (ll. cyfeiriau/cyfeiri).

action, effaith (eg), (ll. effeithiau).

action of acid on copper, effaith asid ar gopr.

mode of action, sut y mae'n gweithio, dull gweithio.

reflex action, gweithred (eb) atgyrch.

active, gweithgar (ans); bywiog (ans); actif (ans).

activity, gweithgarwch (eg); prysurdeb (eg); gweithgaredd (eg); bywiogrwydd (eg).

acute, llym; tost; gwyllt; cyfnod-byr (ans).

ad libitum, yn ddiwarafun (ans).

adapt, addasu (be); ymaddasu (be).

adapt to a specialised environment, ymaddasu i amgylchfyd arbennig; ymaddasu i amgylchedd arbenigol.

additive (to foods), adchwanegyn (eg), (ll. adchwanegion).

adhesion, adlyniad (eg), -au.

adipose, blonegog; brasterog.

adipose tissue, meinwe (eg) brasterog; meinwe (eg) blonegog.

adiposity, blonegrwydd (eg).

adjust, cymhwyso (be).

adjustable, cymwysadwy (ans).

adjusted, wedi'i gymhwyso (ans).

adjusting device, dyfais (eb) gymhwyso, (ll. dyfeisiadau cymhwyso).

adjusting mechanism, peirianwaith (eg) cymhwyso, (ll. peirianweithiau cymhwyso.)

adjusting nut, nyten (eb) gymhwyso, (ll. nytiau cymhwyso).

adjusting rod, rhoden (eb) gymhwyso, (ll. rhodenni cymhwyso).

adjusting screw, sgriw (eb) gymhwyso, (ll. sgriwiau cymhwyso).

adjustment, cymhwysiad (eg), (ll. cymwysiadau).

seasonal adjustment, cymhwysiad tymhorol.

adrenal (gland), [y chwarren (eb)] adrenal.

adrenal cortex/medulla, cortecs/medwla (eg) y chwarren adrenal.

adrenaline, adrenalin (eg).

adsorb, arsugno (be).

adsorbent, arsugnol (ans); arsugnydd (eg), -ion.

adsorption, arsugniad (eg).

adult, oedolyn (eg), (ll. oedolion).

adult form of the parasite, oedolyn y parasit; parasit llawn dwf.

adult stage, (cyfnod) llawn dwf.

advantage, mantais (eb), (ll. manteision).

adventitious root, adwreiddyn (eg).

adze, bwyell (eb) gam, (ll. bwyeill cam); neddyf (eb), -au.

aerate, awyru (be).

aerobic, aerobig (ans).

aerosol spray, chwistrell (eb) aerosol, (ll. chwistrelli aerosol).

afforestate, coedwigo (be); fforestu (be).

afforestation, coedwigiad (eg); coedwigaeth (eb).

after-birth, brych (eg), -od.

after-effect, ôl-effaith (eg), (ll. ôl-effeithiau).

aftermath, adladd (eg); adledd (eg); adlodd (eg).

ageing, pennu oed (be).

agent, cyfrwng (eg), (ll. cyfryngau).

    drying agent, cyfrwng sychu.

agist, tacio (be).

    agistment, porfelaeth (eb).

agitate, tarfu (be); cyffroi (be).

    agitator, tarfydd (eg), -ion.

aggregate, agreg (eb), -iadau.

agrarian, amaethol (ans).

agriculture, amaeth (eg); amaethyddiaeth (eb).

    agricultural, amaethyddol (ans).

    agricultural economics, economeg (egb) amaethyddol.

    common agricultural policy, polisi (eg) amaethyddol cyffredinol.

agronomy, agronomeg (eg).

agrostis, maeswellt (eg).

aid, cymorth (eg), (ll. cymhorthion); cynorthwyo (be).

    calving/lambing aid, cymorth bwrw llo/ŵyna.

air, aer (eg); awyr (eb).

    air bladder, chwysigen (eb) aer; swigen (eb) aer.

    air bleeds, aer-waedwyr (ell).

    air cooled, awyr-oeri.

    air current, cerrynt (eg) aer.

    air filter, ffilter aer (eg), (ll. ffilterau aer); aerlanydd (eg), -ion.

    air-lock, aerglo (eg), -eon.

    air pressure, gwasgedd (eg) aer.

    air sac, coden (eb) aer; adfeolws (eg).

    air-tight, aerglos (ans); aer-dynn (ans).

    compressed air, aer cywasg.

albino, albino (eg); albinaidd (ans).

    albinism, albinedd (eg).

albumen, albwmen (eg).

alfalfa, alffalffa (eg).

align, alinio (be); cyfunioni (be).

    alignment, aliniad (eg), -au.

alimentary, maethol (ans).

    alimentary canal/tract, pibell (eb) faeth; pibell ymborth; llwybr (eg) treulio.

alkali, alcali (eg), (ll. alcalïau).

    alkaline, alcalïaidd (ans).

    alkalinity, alcalinedd (eg).

Allen screw, sgriw (eb) Allen.

allocate, dyrannu (be); dosrannu (be); dosbarthu (be).

    allocation, dyraniad (eg), -au; dosraniad (eg), -au.

allowance, lwfans (eg), -au.

recommended daily allowance/amount (RDA) - (of food), lwfans dyddiol argymelledig.

alloy, aloi (eg), -on, -au.

alluvium, llifwaddod (eg), -ion.

alternating current, cerrynt (eg) eiledol, (ll. ceryntau eiledol).

alternative, arall (ans); amgen (adf/ans); dewisol (ans).

alternator, eiliadur (eg), -on.

altitude, uchder (eg), -au.

aluminium, alwminiwm (eg).

alveolar, alfeolaidd (ans); gorfannol (ans).

alveolus, alfeolws (eg), (ll. alfeoli); gorfant (eg), (ll. gorfannau).

amalgamation, amuniad (eg), -au.

amenity, amwynder (eg), -au.

amino acid, asid (eg) amino.

ammeter, amedr (eg), -au.

ammonia, amonia (eg).

  ammonium nitrate, nitrad (eg) amoniwm.

  ammonium nitrate chalk, sialc (eg) nitrad amoniwm.

  ammonium sulphate, sylffad (eg) amoniwm.

  aqueous ammonia, amonia dyfrllyd; hylif (eg) amonia.

amount, swm (eg), (ll. symiau); cyfanswm (eg), (ll. cyfansymiau).

ampere, amper (eg), -au.

anaemia, anaemia (eg); anwaededd (eg); diffyg (eg) gwaed.

  iron-deficiency anaemia, anaemia diffyg haearn.

anaerobic, anaerobig (ans); anawyrfyw (ans).

anaesthesia, anaesthesia (egb); anesthesia (egb); anestheteg (eb).

  anaesthetic, anesthetig (eg), -ion.

  anaesthetic agent, anesthetydd (eg), -ion.

  anaesthetize, anesthetigo (be).

anal, rhefrol (ans).

  anal canal, pibell (eb) refrol.

analyse, dadansoddi (be).

  analysis, dadansoddiad (eg), -au.

  analytical, dadansoddol (ans).

  cash analysis book, llyfr (eg) dadansoddiad ariannol.

anatomical, anatomegol (ans).

  anatomy, anatomeg (eb).

ancillary, ategol (ans).

angle iron, haearn (eg) ongl, (ll. heyrn ongl).

anhydrate, anhydrad (eg), -au.

  anhydride, anhydrid (eg), -au.

  anhydrous, anhydrus (ans).

animal, anifail (eg), (ll. anifeiliaid); anifeiliol (ans).

annual, unflwyddiad (eg), (ll. unflwyddiaid); unflwydd (ans); blynyddol (ans).

annual meadow grass, gweunwellt unflwydd (ell).

annual ring, cylch (eg) unflwydd.

annual thickening, tewychu unflwydd.

annular, anwlar (ans); modrwyol (ans).

anode, anod (eg), -au.

anterior root, nerf-wreiddyn (eg) anterior.

anthelmintic, anthelmintig (eg), -au.

anther, anther (eg), -i.

anthrax, anthracs (eg).

antibiotic, gwrthfiotig (eg), -au; antibiotig (eg), -au.

antibody, gwrthgorff (eg), (ll. gwrthgyrff); gwrthgorffyn (eg), (ll. gwrthgorffynnau).

anticlockwise, gwrthglocwedd (ans).

    anticlockwise thread, edau (eb) wrthglocwedd.

anticyclone, antiseiclon (eb), -au.

    anticyclonic, antiseiclonig (ans).

antidote, gwrthwenwyn (eg).

antifreeze, gwrthrew (eg); gwrthrewydd (eg); gwrthrewyn (eg).

antifungal, gwrthffyngol (ans); gwrthffyngaidd (ans).

antigen, antigen (eg), -au.

anti-inflammatory, gwrthlidiol (ans).

antiperistalsis, antiperistalsis (eg); gwrthberistalsis (eg).

antiseptics, antiseptigion (ell).

antiserum, antiserwm (eg).

antithelmintic, gwrthlyngyrydd (eg); gwrthlyngyrol (ans).

antitoxic, gwrthwenwynol (ans).

antituberculous, gwrthdwbercwlar (ans); gwrthdwbercwlaidd (ans).

anuria, diffyg (eg) troeth; anwria (eg).

anus, anws (eg); rhefr (eg).

anvil, engan (eb), -au; eingion (eb), -au; einion (eb), -au.

aorta, aorta (eg).

    aortic arch, bwa (eg) aortig, (ll. bwâu aortig).

aphicides, lleiddiaid llyslau (ell).

aphi(d)s, llyslau (ell); pryfed (ell) gwyrdd; gwartheg (ell) y morgrug.

appendicular skeleton, sgerbwd (eg) atodol, (ll. sgerbydau atodol).

apparatus, offer (ell); cyfarpar (eg).

appetite, archwaeth (eg).

appreciation, arbrisiant (eg).

approximate, bras (ans); agos (ans); brasamcanu (be).

    approximately, tua (adf).

    approximation, brasamcan (eg), -ion.

arable, tir âr (eg).

arboriculture, coedyddiaeth (eb).

area,   1. ardal (eb), -oedd.

          2. arwynebedd (eg), -au.

less favoured area, ardal llai ffafrus.

arm, braich (eb), (ll. breichiau).

    adjustable arm, braich gymwysadwy.

    hydraulic arm, braich hydrolig.

arrangement (structural), trefniant (eg), (ll. trefniannau).

artery, rhydweli (eb), (ll. rhydwelïau); arteri (eb), (arterïau).

artificial, artiffisial (ans); ffug (ans).

    artificial insemination, insemineiddio (be) artiffisial; semenu (be) artiffisial; ymhadu (be) artiffisial; tarw potel (eg).

artificials, gwrtaith celfyddydol (egb); gwrtaith artiffisial (egb).

asbestos, asbestos (eg), -au; ystinos (eg), -au.

    asbestos sheet, llen asbestos, (ll. llenni asbestos); siten asbestos, (ll. sitenni asbestos).

asexual, anrhywiol (ans).

    asexual reproduction, atgynhyrchu anrhywiol.

ash content, cynnwys (eg) lludw.

aspect, agwedd (egb).

    westerly aspect, â'i drem tua'r gorllewin.

assemble, cydosod (be).

    assembly, cydosodiad (eg), -au.

assess, asesu (be).

asset, ased (eg), -ion.

    current asset, ased cyfredol.

    fixed asset, ased sefydlog.

    liquid asset, ased hylif; ased llifol.

    working assets, asedion gweithredol (ell).

assimilate, cymathu (be).

at foot, gyda'i fam (ll. gyda'u mamau).

atmosphere, atmosffer (eg), -au.

    atmospheric, atmosfferig (ans).

atrophic rhinitis, rhinitis atroffig (eg).

    atrophy, atroffi (eg); crebachiad (eg); gwywiad (eg); crebachu (be); dihoeni(be); gwywo (be); nychu (be).

attach (to), cydio (wrth) (be); cysylltu (be); bachu wrth (be).

    attachment, atodyn (eg), (ll. atodion); atodydd (eg), -ion; cydfan (eg), -nau.

    spindle attachment, atodyn/atodydd/cydfan gwerthyd.

attested, ardystiedig (ans).

auricle, awricl (eg), -au; awrigl (eg), -au; cyntedd (eg) y galon.

auction, ocsiwn (eb), (ll. ocsiynau); arwerthiant (eg), (ll. arwerthiannau).

auger, taradr (eg), (ll. terydr).

    feed auger, taradr porthi.

automatic, awtomatig (ans).

    automatic cut off, torbwynt (eg) awtomatig, (ll. torbwyntiau awtomatig).

    automatic cluster removal (A.C.R.), tynnu'r clystyrau'n awtomatig.

automatic feed, porthiant (eg) awtomatig, (ll. porthiannau awtomatig).

availability, caffaeledd (eg), -au.

availability (of a nutrient), argaeledd (eg).

average, cyfartalyn (eg), (ll. cyfartalion); cyfartaledd (eg), -au; cyfartalog (ans).

average price, pris (eg) cyfartalog.

average temperature, tymheredd (eg) cyfartalog.

on average, ar gyfartaledd.

avian, dofednol (ans).

auxiliary, ategol (ans); cynorthwyol (ans).

axe, bwyell (eb), (ll. bwyeill).

axis, echelin (eg), -au; echel (eb), -au.

axle, echel (eb), -au.

B

bacillus, bacilws (eg).

backbone, asgwrn (eg) y cefn, (ll. esgyrn y cefn); colofn (eb) y cefn, (ll. colofnau'r cefn).

back-end, yr hydref (eg).

backfill, ôl-lanw (eg); ôl-lanwad (eg).

backfire, tanio'n ôl (be).

backlash, adlach (eb), -au.

back-payment, ôl-daliad (eg), -au.

backplate, cefnblat (egb), -iau.

backwall, cefnfur (eg), -iau.

backwards, tuag yn ôl (adf).

bacon, cig (eg) moch; bacwn (eg).

    baconer, mochyn (eg) bacwn, (ll. moch bacwn).

bacterial, bacterol (ans); bacteraidd (ans).

    bactericidal, bacterioleiddiol (ans).

    bacteriology, bacterioleg (egb).

    bacterium, bacteriwm (eg), (ll. bacteria).

bail, sied (eb) odro symudol.

balance, cydbwysedd (eg), -au; cydbwyso (be).

balance (in accounting), gweddill (eg), -ion.

    balance, mantoli (be).

    balance the accounts, mantoli'r cyfrifon.

    balance sheet, mantolen (eb), -ni.

    balanced, cytbwys (ans).

    balanced diet, ymborth (eg) cytbwys; lluniaeth (eg) cytbwys; diet (eg) cytbwys.

    balancing, cydbwysol (ans).

    balancing item, eitem (eb) fantoli.

bale, bwrn (eg), (ll. byrnau); bêl (eg), (ll. beliau).

    bale chamber compressor, cywasgydd siambr y byrnau.

    bale chamber wedge, lletem siambr y byrnau.

    bale loader, codwr (eg) byrnau, (ll. codwyr byrnau).

    baler, byrnwr (eg), (ll. byrnwyr).

    baling, byrnu (be).

    big bale, bwrn mawr, (ll. byrnau mawr); caseg (eb) wair, (ll. cesig gwair).

ball, pêl (eb), (ll. peli); pelen (eb), -ni.

    ballbearing, pelferyn (eg), -nau.

    ball pin hammer, morthwyl (eg) wyneb crwn, (ll. morthwylion wyneb crwn).

    ball valve, pêl-falf (eb), (ll. pêl-falfiau).

band, band (eg), -iau.

bandsaw, cylchlif (eb), -iau.

bank,   **1. (of river)** glan (eb), -nau.

        2. (of earth) clawdd (eg), (ll. cloddiau); poncen (eb), (ll. ponciau);

banc (eg), -iau.

3. (money) banc (eg), -iau.

bank account, cyfrif (eg) banc.

bank charges, codiannau (ell) banc.

bank rate, bancradd (eb), -au.

bank return, adroddiad (eg) banc.

bank statement, cyfriflen (eb) banc.

bankrupt, methdalwr (eg), (ll. methdalwyr).

bankruptcy, methdaliad (eg), -au.

bar, bar (eg), -rau.

cutter bar, bar torri.

drawbar, bar llusgo; bar tynnu.

bare fallow, braenar (eg), -au.

bastard fallow, braenar haf.

bargain (to), bargeinio (be); bargenna (be).

bargain, bargen (eb), (ll. bargeinion).

bark (of tree), rhisgl (eg), -au; rhisglyn, (eg), -au.

barley, haidd (e. torfol); barlys (e. torfol).

barley seeds, hadau haidd (ell).

barn, ysgubor (eb), -iau; tŷ (eg) gwair, (ll. tai gwair); sied, (eb), -iau.

barn drying, sychu dan do.

Dutch barn, sied wair.

pole barn, sied bolion.

tithe barn, ysgubor ddegwm.

barometer, baromedr (eg), -au; cloc (eg) tywydd, (ll. clociau tywydd).

barren, anghyfeb (ans); gwag (ans).

barrener (barren cow), swynog (eb), -ydd, -au; myswynog, -ydd, -au.

barrenness, anghyfebrwydd (eg); diffrwythdra (eg).

barrier manger, preseb (eb) barier, (ll. presebau barier).

barrow, berfa (eb), (ll. berfâu); whilber (eb), -i.

barter, ffeirio (be).

basic slag, basig slag (eg); slag basig (eg).

batten, astell (eb) stribed; estyllu (be).

batter, goleddf (eg), -au.

battery, batri (eg), (ll. batrïau).

battery hen, iâr (eb) gaeth, (ll. ieir caeth).

battery-reared, magwyd mewn batri; wedi'i fagu mewn batri, (ll. wedi'u magu mewn batri).

beam, trawst (eg), -iau.

hammer beam, trawst gordd.

tie beam, tynlath (eb), -au.

bean, ffeuen (eb), (ll. ffa).

soya beans, ffa soya.

bearing, beryn (eg), -nau.

10

big end bearing, beryn y pen mawr.

roller bearing, rholferyn, -nau.

split bearing, beryn hollt/hollt feryn.

thrust bearing, gwth-feryn, (ll. gwth-ferynnau).

bed, gwely (eg), -au; gwelyo (be).

bedding, gwely (eg); sarn (eg).

beef, biff (eg).

beef (meat), cig (eg) eidion; biff (eg).

beef bull, tarw (eg) biff.

beef cow, buwch (eb) biff.

barley beef, biff haidd.

bull beef, biff tarw.

storage beef, biff storio.

beetle, chwilen (eb), (ll. chwilod).

click beetle, chwilen glec, (ll. chwilod clec).

Colorado beetle, chwilen Golorado, (ll. chwilod Colorado).

behaviour, ymddygiad (eg), -au.

belch, bytheirio (be).

belt, (peiriant) belt (eg), -iau; gwregys (eg), -au.

belt coupling, cyplydd belt, (ll. cyplyddion belt).

belt pulley, pwli (eg) belt, (ll. pwlïau belt); chwerfan (eb) felt, (ll. chwerfain belt).

belt tension, tensiwn (eg) belt.

belt tightener, tynhawr (eg) belt.

shelter belt, llain (eb) gysgodi, (ll. lleiniau cysgodi).

bent grass (agrostis), maeswellt (eg), -ydd; y gawnen (eb) ddu; y gawnen goch.

berry, aeronen (eb), (ll. aeron).

bicellular, deugellog (ans).

biennial, eilflwyddiad (eg), -au; eilflwydd (ans).

biennial flower, blodyn (eg) eilflwydd, (ll. blodau eilflwydd).

bile, bustl (eg).

bile duct, dwythell (eb) y bustl.

bill, bil (eg), -iau.

bills of sale, biliau gwerthiant.

bill hook, bilwg (eg), (ll. bilygau).

bind, clymu (be); rhwymo (be).

binder, rhwymwr (eg), (ll. rhwymwyr).

birth, genedigaeth (eb), -au; geni (eg, be).

bisexual, deuryw (ans); deurywiol (ans).

bit, ebill (eg), -ion.

bitumen, bitwmen (eg).

bituminous paint, paent (eg) bitwmen.

black disease (necrotic hepatitis), y clefyd (eg) du.

blackgrass, porfa (eb) ddu; y benddu (eb).

blackhead, penddu (eg).

blackleg, y clwy (eg) byr.

black mould, malltod (eg) du.

blackquarter, y fwren (eb) ddu; y chwarren (eb) ddu; y clwy (eg) du; y chwarter (eg) du; blaened (eb).

black rust, rhwd (eg) du.

blade, llafn (eg), -au.

    fan blade, llafn y ffan.

bladder, pledren (eb), -ni, -nau.

    gall bladder, coden (eb) fustl, (ll. codenni bustl).

blight (potato), malltod (eg) tatws.

blister, chwysigen (eb), (ll. chwysigod); pothell (eb), -i.

bloat, chwydd (eg) y boten; clwy'r boten (eg).

block,   1. bloc (eg), -iau.

            2. cau (be); rhwystro (be).

    block cutter, bloc dorrwr.

    breeze blocks, blociau brîs; blociau adeiladu.

    pulley block, bloc pwli/chwerfan.

block wall, mur (eg) blociau, (ll. muriau blociau).

blood capillary, capilari (eb) gwaed.

    blood corpuscle, corffilyn (eg) gwaed, (ll. corffilod gwaed).

    blood poisoning, gwenwyniad (eg) gwaed.

    blood stream, llif (eg) y gwaed.

    blood vessel, pibell (eb) waed, (ll. pibellau gwaed).

    red blood corpuscles, corffilod coch y gwaed.

bloom, blŵm (eg), (ll. blymau); gwawr (eb).

blower, chwythwr (eg), (ll. chwythwyr); chwythydd (eg), -ion; chwythiadur (eg), -on.

blowlamp, chwythlamp (eb), -au.

bluebottle, pryf (eg) chwythu, (ll. pryfed chwythu); pryfyn (eg) chwythu, (ll. pryfed chwythu).

blue ear disease, clefyd (eg) clustiau glas.

blunt, pŵl (ans); di-fin (ans); di-awch (ans); heb awch (ans); pylu (be); torri/colli awch/min (be).

boar, baedd (eg), -od.

    boar pork, porc baedd.

body, corff (eg), (ll. cyrff).

    body cell, corffgell (eb), -oedd.

    body cavity, ceudod (eg) y corff.

    body fluids, hylifau'r corff (ell).

boil, berwi (be).

    boiled water, dŵr (eg) wedi'i ferwi.

    boiling point, berwbwynt (eg).

    boiling water, dŵr berw; dŵr berwedig.

bolt, bollt (eb), (ll. byllt/bolltau); bolltio (be).

    bolt cutter, torrwr (eg) bollt, (ll. torwyr bollt).

bolted, wedi'i bolltio/folltio (ans).
bolted joint, uniad (eg) bolltiog, (ll. uniadau bolltiog).
bone, asgwrn (eg), (ll. esgyrn).
Border disease, clefyd (eg) y Ffin.
bore, tyllfedd (eg), -au; bôr (eg), (ll. borau); tyllfeddu (be); borio (be).
    borer, tyllydd (eg), -ion; boriwr (eg), (ll. borwyr).
boom, ymchwydd (eg), -iadau; dygyfor (eg), -iadau; bŵm (eg), (ll. bwmau).
borogluconate, boroglwconad (eg).
boron, boron (eg).
borrow, benthyca (be).
    borrowings, benthyciadau (ell).
bot fly, Robin y Gyrrwr (eg).
bottle jaw, gên (eb) botel.
bottom gear, gêr (eb) isaf, (ll. gerau isaf).
boundary, terfyn (eg), -au.
bovine, teulu'r fuwch; buchol (ans).
    bovine contagious abortion (brucellosis), erthyliad (eg) heintus gwartheg.
    bovine tuberculosis, darfodedigaeth (eb) gwartheg; twbercwlosis (eg) gwartheg.
bowl, powlen (eb), -ni; dysgl (eb), -au; cawg (eg), -iau; ffiol (eb), -au.
    drinking bowl, powlen ddŵr; powlen yfed; dysgl ddŵr.
    filter bowl, powlen y ffilter.
box, blwch (eg), (ll. blychau); bocs (eg), -ys.
    gear box, blwch (eg) gêr/gerbocs, (ll. blychau gêr/gerbocsys).
    isolation box, sied (eb) arunigo; sied neilltuo.
    loose box, lwsbocs (eg).
brace and bit, carn-tro ac ebill (eg).
    wheel brace, carn-tro (eg) olwyn, (ll. carn-troeon olwyn).
bracken, rhedynen (eb), (ll. rhedyn).
bracket, braced (eb), -i.
    angle bracket, braced ongl.
    hinge bracket, braced golfach.
bract, bract (eg), -au.
    bracteole, bractolyn (eg), -nau.
bradawl, mynawyd (eg), -au; pigyn (eg) gwastad.
brain, ymennydd (eg), (ll. ymenyddiau).
    (cerebral), ymenyddol (ans); cerebrol (ans).
brake, brêc (eg), (ll. breciau); brecio (be).
    brake cylinder, silindr (eg) brêc.
    brake handle, dolen (eb) frêc.
    brake lever, lifer/trosol (eg) brêc.
bran, bran (eg).
branch, cangen (eb), (ll. canghennau); ymganghennu (be).
    branched, canghennog (ans).
    blood vessel branching, pibell (eb) waed yn ymganghennu.

brand, llosgnodi (be).

brash, malurio (be); malurion (ell).

brassicas, bresych (ell).

    brassica crops, cnydau bresych (ell).

braxy, gwayw (eg); dŵr (eg) coch; piso gwaed.

breakdown, ymddatodiad (eg).

    breakdown (of machinery), torri (be); toriad (eg), -au.

    metabolic breakdown, ymddatodiad (eg) metabolaidd.

break even, heb ennill na cholli; talu ffordd.

breathe, anadlu (be).

breech, ffolen (eb), -nau.

    breech delivery, esgoriad (eg) ffolennol.

    breech presentation, cyflwyniad (eg) ffolennol; dod wysg ei gynffon.

breed, brîd (eg), -iau; bridio (be); magu (be).

    breeding cycle, cylchred (eb) fridio.

    breed societies, cymdeithasau bridiau (ell).

    line breeding, llinach-fridio (be).

breeze, awel (eb), -on.

    light breeze, awel ysgafn.

    fresh breeze, awel ffres.

    moderate breeze, awel gymedrol.

brewers' grain, grawn bragdy (ell); grawn bragu (ell).

bridleway, llwybr (eg) march, (ll. llwybrau march).

brier, miaren (un.b); mieri (ell).

brisket, brisged (eb); y barwyden (eb).

British Standard Specification, Manyleb (eg) Safonau Prydeinig.

brittle, brau (ans).

    brittleness, breuder (eg).

broadcast, gwasgaru (be); taenu (be).

broiler, brwyliad (eg), (ll. brwyliaid).

broken mouth, wedi bylchu; wedi torri dannedd.

bronchiole, bronciolyn (eg), (ll. bronciolau).

    bronchus, broncws (eg), (ll. bronci).

brown rust, rhwd (eg) brown.

brucellosis, brwselosis (eg); briwselosis (eg); brucellosis (eg); twymyn donnog (eb).

    brucellosis accredited, achrededig rhag brwselosis.

bruise, clais (eg), (ll. cleisiau); cleisio (be).

brush, brws (eg), -ys; brwsio (be).

    wire brush, brws gwifrau; brws weiars.

brushwood, manwydd (ell), manwydden (eb).

B.S.C., clefyd (eg) gwartheg gwallgof.

bubble, swigen (eb), (ll. swigod); byrlymu (be).

bucket, bwced (egb), -i.

    bucket-fed, bwydo o'r bwced; bwydo ar fwced.

buckwheat, gwenith yr hydd (ell); ffa-wenith (ell).
buckrake, bwchgribin (eg).
bud, blaguryn (eg), (ll. blagur); blaguro (be).
    budding, ymflagurol (ans); blagurol (ans).
    alternate bud, blaguryn eiledol.
    axillary bud, blaguryn ceseilaidd.
    dormant bud, blaguryn ynghwsg.
    lateral bud, blaguryn ochrol.
    terminal bud, blaguryn blaen.
budget, cyllideb (eb), -au; cyllidebu (be).
    budgetary, cyllidebol (ans).
building, adeilad (eg), -au.
    frame building, adeilad ffrâm.
bulb, bwlb (eg), (ll. bylbiau).
    bulbous, oddfog (ans).
bulge, chwydd (eg), -au; bol (eg), -iau; bolio (be).
bulk, swmp (eg), (ll. sympau); maint (eg).
    bulk buying, swmp brynu; prynu crynswth (be).
    bulk hopper, cynhwysydd (eg) crynswth, (ll. cynwysyddion crynswth); swmp-hopran (eb), -au.
    bulk milk-tank, tanc (eg) llaeth crynswth, (ll. tanciau llaeth crynswth); swmp-danc (eg) llaeth, (ll. swmp-danciau llaeth).
    bulky foods, swmp-fwydydd (ell).
bull, tarw (eg), (ll. teirw).
    bulling heifer, heffer ar fynd at darw; heffer gofyn tarw.
    dairy bull, tarw buches odro.
    stock bull, tarw'r fuches.
    teaser bull, tarw datgelu.
bullet, bwled (egb), -i.
bullock, bustach (eg), (ll. bustych).
bullying, gofyn tarw.
bunch grass (tussock), sypwellt (eg), -ydd.
bundle, sypyn (eg), -nau.
    vascular bundle, sypyn fasgwlar.
bunt, bwnt (eg).
burdizzo, gefel (eb) dorri; burdizzo (eg).
burn, llosgi (be).
burst, ymrwygo (be); torri (be).
bush, llwyn (eg), -i; prysglwyn (eg), -i.
bush (machine), bwsh (eg), -ys.
bushel, pwysel (eg), -i.
business, busnes (eg), -au.
butane, bwtân (eg).
butcher, cigydd (eg), -ion.

butt, bytio (be).

butt joint, uniad (eg) bôn.

butt hinge, colfach (eg) ymyl.

butt weld, bôn (eg) weldiad.

butter, menyn (eg); ymenyn (eg).

butterfat, braster (eg) llaeth.

buttermilk, llaeth (eg) enwyn.

butterfly, glöyn byw (eg), (ll. glöynnod byw); iâr fach yr haf (eb), (ll. ieir bach yr haf).

Large White/Cabbage White Butterfly, Glöyn Gwyn Mawr.

buyer, prynwr (eg), (ll. prynwyr).

buyers' market, marchnad prynwyr.

prospective buyer, darpar-brynwr.

by-product, sgîl-gynnyrch (eg), (ll. sgîl-gynhyrchion).

C

cabbage, bresychen (eb), (ll. bresych).

cable, cebl (eg), -au.

caecum, coluddyn (eg) dall; caecwm (eg).

Caesarian birth, geni Cesaraidd.

    Caesarian section, toriad (eg) Cesaraidd.

cake, dwysfwyd (eg), -ydd.

calcareous, calchaidd (ans).

    calcify, calchu (be).

calcium (Ca), calsiwm (Ca), (eg).

    calcium carbonate, calsiwm carbonad (eg).

    calcium salts, halwynau calsiwm (ell).

calculate, cyfrifo (be).

    calculation, cyfrifiad (eg), -au.

    calculator, cyfrifiannell (eg), (ll. cyfrifianellau).

calendar, calendr (eg), -au.

calf, llo (eg), -eau, lloi.

    calf diphtheria, difftheria (eg) lloi bach.

    calve, bwrw llo (be); dod â llo (be); lloea (be).

    calving interval, cyfwng bwrw llo (eg).

    bull calf, llo gwryw.

    heifer calf, llo benyw.

calibrate, graddnodi (be).

    calibrated, wedi'i raddnodi (ans).

    calibration, graddnodiad (eg).

calyx, calycs (eg); blodamlen (eb).

camshaft, camsiafft (eg), -iau; camwerthyd (eg), -oedd.

can, can (eg), -iau; tun (eg), -iau.

    oil can, can olew; tebot (eg) oel.

canine, teulu'r ci; cynol (ans).

    canine tooth (eye tooth), dant (y) llygad (eg), (ll. dannedd (y) llygad).

capacity,   1. medr (eg).

            2. gallu (eg).

            3. cynnwys (eg); cynhwysedd (eg), -au.

    full capacity, gallu llawn (eg).

    excess capacity, gallu gormodol (eg).

    productive capacity, gallu cynhyrchu (eg), (ll. galluoedd cynhyrchu).

capillary, capilari (eg), (ll. capilarïau); capilarïaidd (ans).

    capillary tube, tiwb (eg) capilari.

capillary web/network, gwe (eb) gapilarïau, (ll. gweoedd capilarïau); rhwyllen (eb) gapilarïau, (ll. rhwyllenni capilarïau).

capillarity, capilaredd (eg).

capital, cyfalaf (eg).

capital account, cyfrif (eg) cyfalaf.
capital accumulation, croniad (eg) cyfalaf.
capital deficiency, diffygiad (eg) cyfalaf.
capital depreciation, dibrisiant (eg) cyfalaf.
capital expenditure, gwariant (eg) cyfalaf.
capital gains tax, treth (eb) ar enillion cyfalaf.
capital intensive, dwysgyfalafol (ans).
capital levy, ardoll (eg) cyfalaf.
circulation capital, cyfalaf cylchredol.
fixed capital, cyfalaf sefydlog.
loan capital, cyfalaf benthyg.
net capital, gwir gyfalaf.
real capital, cyfalaf real.
replacement capital, adnewyddu cyfalaf.
working capital, cyfalaf gweithiol.
capon, caprwn (eg), (ll. capryniaid).
caprine, teulu'r afr; gafrol (ans).
capsule, 1. (Bot.) capsiwl (eg), -au.
2. (Ffisiol.) cwpan (eg), -au.
Bowman's capsule, cwpan Bowman.
carbohydrate, carbohydrad (eg), -au.
storage carbohydrate, carbohydrad stôr; carbohydrad storedig.
carbon, carbon, (eg).
carbon dioxide, carbon deuocsid (eg).
carbon monoxide, carbon monocsid (eg).
carbonate, carbonad (eg).
carbonated, carbonedig (ans).
carboniferous, carbonifferaidd (ans).
carboxy, carbocsi (eg).
carboxyhaemoglobin, carbocsihaemoglobin (eg).
carburettor, carbwradur (eg), -on; carbwredydd (eg), -ion.
carcase, carcas (eg), -au; sgerbwd (eg), (ll. sgerbydau).
carnivore, cigysydd (eg), -ion; carnifor (eg), -au.
carnivorous, cigysol (ans).
carpel, carpel (eg), -au.
carry, cludo (be); cario (be).
carrier, cludydd (eg), -ion.
carrying capacity, gallu cynnal; gallu cludo.
carry out (an experiment), cynnal (arbrawf); cyflawni (arbrawf) ar ...
cartilage, cartilag (eg); madruddyn (eg).
cartilaginous, cartilagaidd (ans).
casein, casein (eg).
cash, arian parod (ell); arian sychion (ell).
cash payment, taliad (eg) arian parod, (ll. taliadau arian parod).

casing, cas(yn) (eg), (ll. casiau).

cast, taflu (be).

    cast iron, haearn bwrw (eg).

    cast steel, dur bwrw (eg).

casting, castin (eg), -iau; castio (be).

castrate, disbaddu (be); (y)sbaddu (be); cyweirio (cweirio) (be); torri ar (be).

catch plate, plât (egb) cydio, (ll. platiau cydio), plât troi (ll. platiau troi).

category, categori (eg), (ll. categorïau).

caterpillar, lindysyn (eg), (ll. lindys).

cathartic, carthydd (eg); carthbeiryn (eg).

cathode, catod (eg), -au.

    cathodic, catodig (ans).

cattle, gwartheg (ell); da (e. torf).

    cattle cake, cêc (eg) gwartheg.

    cattle crush, gwasg (eg) gwartheg; crud (eg) gwartheg.

    cattle grid, grid (eg) gwartheg, (ll. gridiau gwartheg).

    cattle plague, pla'r gwartheg (eg).

    fat cattle, gwartheg tewion.

cause, peri (be); achosi (be); achos (eg), -ion; achlysur (eg), -on; rheswm (eg), (ll. rhesymau).

cauterize, serio (be).

cavity, ceudod (eg), -au; twll (eg), (ll. tyllau).

    body cavity, ceudod y corff.

cedar, cedrwydden (eb), (ll. cedrwydd).

cell, cell (eb), -oedd.

    cell body, cellgorff (eb).

    cell count, cyfrif celloedd.

    cell division, cellraniad (eg).

    cell membrane, cellbilen (eb).

    cell nucleus, cnewyllyn (eg) cell.

    cell sap, cellnodd (eg).

    cell wall, cellfur (eg).

    body cell, corffgell (eb); cell somatig.

    companion cell, cymargell (eb), - oedd.

cellular, cellog (ans).

    extracellular, allgellog (ans).

cellulose, cellwlos (eg).

Celsius, Celsius (ans).

cement, sment (eg), -iau.

Centigrade, canradd (ans).

centimetre, centimetr (eg), -au; canfedd (eb), -i.

Central Council for Agricultural and Horticultural Co-operation, Cyngor Canolog er Cydweithrediad Amaethyddol a Garddwriaethol.

central nervous system, y brif system (eb) nerfol.

centre, canol (eg), -au; canolbwynt (eg); canolfan (eb), -nau; canoli (be).

centrifugal, allgyrchol (ans).

    centrifuge, allgyrchedd (eg); allgyrchu (be).

cereals, ŷd (eg), (ll. ydau); grawnfwyd (eg), -ydd.

    spring cereals, ydau gwanwyn (ell).

    volunteer cereals, chwyn-ydau (ell).

    winter cereals, ydau gaeaf (ell).

certification, ardystiad (eg).

    certified, ardyst(iedig) (ans).

    certify, ardystio (be).

    official certification scheme, cynllun ardystio swyddogol.

cervical, 1. (yn perthyn i'r gwddf) cerfigol (ans).

           2. (yn perthyn i'r groth) ceg y groth, gwddf y groth.

    cervix (uterus), ceg (eb) y groth; gwddf (eg) y groth; y fodrwy (eb).

chain, cadwyn (eb), -au; aerwy (eg), -on; cadwyno (be).

    chain drive, dreif/gyriad (eg) cadwyn.

    chain link, dolen (eb) gadwyn, (ll. dolenni cadwyn); linc (eb) gadwyn, (ll. linciau cadwyn).

    chain reaction, adwaith (eg) cadwynol, (ll. adweithiau cadwynol).

    chain saw, llif (eb) gadwyn, (ll. llifiau cadwyn).

chamber, siambr (eb), -au.

    inspection chamber, siambr archwilio.

characteristic, nodwedd (eb), -ion; nodweddiadol (ans).

    characteristic features, priodweddau nodweddiadol (ell); arweddion nodweddiadol (ell).

    dominant characteristic, nodwedd drech (eb).

    recessive characteristic, nodwedd enciliol (eb).

charge,   1. gwefr (eb), -au; gwefru (be).

           2. llwyth (eg), -au; llwytho (be).

           3. codiant (eg), (ll. codiannau); cost (eb), -au.

charlock, cadafarth (eg); esgynnydd (eg); aur yr ŷd (eg).

chart, siart (eg), -iau.

chassis, siasi/siasis (eg).

    chassis frame, ffrâm siasi, (ll. fframiau siasi).

check, arafu (be); archwilio (be); atal (be); gwirio (be), archwiliad (eg), -au; atalfa (eb), (ll. atalfeydd); ataliad (eg), -au; ataliaeth (eb), -au; gwiriad (eg), -au.

chemical, cemegyn (eg), (ll. cemegion); cemegol (ans).

cheque, siec (eb), -iau.

    crossed cheque, siec wedi'i chroesi.

    open cheque, siec agored.

chicken, cyw (eg) iâr, (ll. cywion ieir); ffowlyn (eg), (ll. ffowls).

chickweed, llysiau'r dom (ell); gwlydd y dom (eg).

chisel, cŷn (eg), (ll. cynion); gaing (eb), (ll. geingiau); naddu (be);

cynio (be); llafnu (be).

chlorophyll, cloroffyl (eg).

chocolate spot, smotyn (eg) siocled.

choke, tagu (be); tagydd (eg), -ion.

chop, darnio (be); dryllio (be); malu (be); torri (be).

    double chop, darnio/torri ddwywaith.

    precision chop, darnio/torri tra-chywir.

chromosome, cromosom (eg), -au.

    chromosome number, rhif cromosomau; nifer cromosomau.

    maternal chromosome, cromosom o du'r fam; cromosom mam.

    paternal chromosome, cromosom o du'r tad; cromosom tad.

    sex chromosome, cromosom rhyw.

chronic, hirfaith (ans); cronig (ans); hirbarhaol (ans).

chrysalis, chwiler (eg), -od; crysalis (eg), -au.

circuit, cylched (eb), -au.

    primary circuit, cylched elfennol.

    secondary circuit, cylched eilaidd.

    short circuit, cylched fer.

circular, crwn (ans).

    circular saw, llif (eb) gron, (ll. llifiau crwn).

circulate, cylchredeg (be).

    circulating, cylchredol (ans).

    circulation, cylchrediad (eg).

    circulatory, cylchredol (ans).

    circulatory system, cyfundrefn (eb) cylchrediad y gwaed; system (eb) cylchrediad y gwaed.

cistern, seston (eb), -au.

    teat cistern, seston y deth.

    udder cistern, seston y pwrs; seston y gadair.

    water cistern, seston ddŵr.

citric acid, asid (eg) citrig.

cladding, gorchudd ochrau (eg); cladin (eg).

claim, hawl (eg), -iau; hawlio (be).

clamp, cladd (eg), -au; clamp (eg), -iau.

    silage clamp, cladd silwair.

clasp, clesbyn (eg), (ll. clasbiau).

    clasp nail, hoelen (eb) lorio.

class, dosbarth (eg), -iadau.

    classification, dosbarthiad (eg), -au.

    classify, dosbarthu (be).

claw, crafanc (eb), (ll. crafangau).

    claw-hammer, morthwyl (eg) crafanc.

    claw-piece, crafanc-ddarn (eg).

    claw-wrench, tyndro (eg) crafanc.

claying and marling, cleio a marlo (be).

clean, glân (ans); glanhau (be).

    cleaner, glanhawr (eg), (ll. glanhawyr).

    air cleaner, glanhawr aer.

    oil bath air cleaner, glanhaydd aer bath oel.

    pre-cleaner, rhag-lanhaydd.

clearance, cliriad (eg), -au.

    valve clearance, cliriad falf.

clench (nail/rivet), clensio (hoelen/rhybed) (be).

click beetle, chwilen (eb) glec, (ll. chwilod clec).

climate, hinsawdd (eb), (ll. hinsoddau).

    climatic regions, rhanbarthau hinsoddol (ell).

climbing plant, planhigyn (eg) dringo, (ll. planhigion dringo); llysieuyn (eg) dringo, (ll. llysiau dringo).

clinical, clinigol (ans).

    sub-clinical, is-glinigol (ans).

clockwise, clocwedd (ans).

    anticlockwise, gwrthglocwedd (ans).

clog, tagu (be).

Clostridium, Clostridium (eg).

clot, thrombus; ceulad (eg), -au; tolchen (eb), -ni; ceulo (be).

cloud, cwmwl (eg), (ll. cymylau).

cloven footed, ewin fforchog (egb).

clover, meillionen (eb), (ll. meillion); clofer (e.torf).

    clover rot, clafr (eg) y meillion.

    having clover, meillionog (ans).

    (broad) red clover, meillion coch llydan.

    white clover, meillion gwyn.

club root, clefyd (eg) pen pastwn.

cluster, clwstwr (eg), (ll. clystyrau).

clustering, clystyrru (be).

clutch, cydiwr (eg), (ll. cydwyr); clwts (eg), (ll. clytsys); clyts (eg), (ll. clytsys); gafael (be).

    dual clutch, clyts deuol.

    over-run clutch, clyts gor-redeg.

    slip clutch, llithr-glyts.

    two stage clutch, clyts dau fan.

coagulate,   1. (Cem.) clystyrru (be).

               2. ceulo (be).

               3. tolchennu (am waed) (be).

    coagulation (act of), ceulad (eg); tolcheniad (gwaed) (eg).

coarse, bras (ans); garw (ans).

    coarse thread, edau (eb) fras.

coating, arhaen (eg), (ll. arhaenau).

cob, cob (eg).
cobalt (Co), cobalt (eg).
coccidiosis, cocsidiosis (eg).
    coccus, cocws (eg).
cockle, cocl (eg).
cocksfoot, byswellt (ell).
cocoon, cocŵn (eg), (ll. cocynau).
code, côd (eg), -au.
    genetic code, côd genynnol.
    Code of Practice, Côd Ymarfer.
cog, cocsen (eb), -ni; cogen (eb), -ni.
    cog wheel, olwyn (eb) gocos, (ll. olwynion cocos).
coil, coil (eg), -iau; torch (eg), -au; coilio (be); torchi (be).
    coil ignition, taniad (eg) coil.
    coil spring, sbring (eg) coil.
    ignition coil, coil taniad.
    moving coil, coil symudol.
cold front, ffrynt oer (egb).
    icy cold, rhewllyd (ans).
    icy cold wind, rhewynt (eg).
colibacillosis, colibacillosis (eg).
colic, cnofa (eb), (ll. cnofeydd); colig (eg); bolgur (eg).
collagen, colagen (eg).
collapse, ymgwympiad (eg), -au.
collateral security, gwarant (eg) cyfatebol.
colon, coluddyn mawr (eg); colon (eg).
colony, cytref (eb).
    colonise, cytrefu (be).
Colorado beetle, chwilen (eb) Golorado, (ll. chwilod Colorado).
colostrum, colostrwm (eg); llaeth melyn (eg); llaeth toro (eg).
comb, crib (eg), -au.
    carding comb, crib gwlân.
combination, cyfuniad (eg), -au.
    combine, cyfuno (be).
    combine, combein (eg), -au; cynaeafydd (eg), -ion.
    combine harvesting, dyrnu medi.
    combined, cyfunol (ans).
    combining, combeinio (be).
combustion, hylosgiad (eg), -au; taniad (eg), -au; hylosgi (be).
    combustible, hylosg (ans).
comfrey, cwmffri (eg).
commercial, masnachol (ans).
commodity, cynwydd (eg), -au.
common agricultural policy, polisi (eg) amaethyddol cyffredin.

common land, tir (eg) comin, (ll. tiroedd comin); cytir (eg), -oedd.

companion cell, cymargell (eb), - oedd.

company, cwmni (eg), (ll. cwmnïau).

    limited company, cwmni cyfyngedig.

    subsidiary company, is-gwmni.

compensation, iawndal (eg), -iadau; cydadferiad (eg), -au; cydadfer (be).

    compensation agreements, cytundebau iawndal (ell).

    compensatory (changes), newidiadau cydadferol (ans).

competition, cystadleuaeth (eb), (ll. cystadlaethau).

    competitive, cystadleuol (ans).

complex, cymhligyn (eg), (ll. cymhligion); cymhlethu (be); cymhlyg (ans).

component, cydran (eb), -nau.

    component parts, darnau cydrannol (ell).

composition, cyfansoddiad (eg), -au.

    compositional quality, ansawdd (eg) cyfansoddiadol.

    total composition, cyfansoddiad cyflawn.

compound, cyfansoddyn (eg), (ll. cyfansoddion); cyfansawdd (ans).

    compound feed, bwyd (eg) cyfansawdd.

compression, cywasgiad (eg), -au; cywasgedd (eg), -au.

compress, cywasgu (be).

    compressed, cywasg (ans).

    compressible, hywasg (ans); cywasgadwy (ans).

    compressor, cywasgydd (eg), -ion.

compulsory, gorfodol (ans).

compute, cyfrifiannu (be).

    computer, cyfrifiadur (eg), -on.

concentrate, crynodi (be).

    concentrated, crynodedig (ans).

    concentrated acid, asid (eg) crynodedig.

    concentration, crynodiad (eg).

    concentrates, dwysfwydydd (ell).

conception, ffrwythloniad (eg); cenhedliad (eg); cyfebriad (eg).

    conception rate, cyfradd (eg) cyfebru.

conciliate, cysilio (be).

concrete, concrit (eg), -iau.

condensate/condensation, cyddwysiad (eg), -au; cyddwysedd (eg), -au.

    condense, cyddwyso (be).

    condenser, cyddwysydd (eg), -ion; cynhwysydd (eg), (ll. cynwysyddion).

condition,   1. cyflwr (eg), (ll. cyflyrau); gwedd (eb), -au.

             2. amod (egb), -au; telerau (ell); cyflyru (be); cyfaddasu (be); amodi (be).

    condition score, sgôr (eg) cyflwr; cyflwr-sgôr (eg); cyflwr-sgorio (be).

    sell on condition, gwerthu ar amod.

conduct, dargludo (be).

conductivity, dargludedd (eg).

conductor, dargludydd (eg), -ion.

conformation, cydffurfiad (eg); cymesuredd (eg).

congenital, cydenedigol (ans).

conifer, conwydden (eb), (ll. conwydd); coniffer (eg), -au.

    coniferous forest, coedwig (eb) gonwydd, (ll. coedwigoedd conwydd).

    coniferous trees, conwydd (ell).

conjunctiva, cyfbilen (eb), -ni.

connect, cysylltu (be).

    connecting rod, rhoden (eb) gyswllt.

    connection, cyswllt (eg), (ll. cysylltiadau).

    connective, cysylltiol (ans).

    connective tissue, meinwe (eg) cyswllt.

    connector, cysylltydd (eg), -ion.

conservation, 1. cadwraeth (eb).

               2. gwarchodaeth (e.e., natur) (eb).

    conservation (of grass), cadwraeth glaswellt.

    conservation area, ardal (eb) warchod.

consolidate, cyfnerthu (be); cydgyfnerthu (be); cadarnhau (be).

    consolidation, 1. cyfnerthiad (eg); cydgyfnerthiad (eg).

               2. atgyfnerthiad (eg).

               3. cadarnhad (eg).

constipation, rhwymedd (eg).

    constipated, rhwym (ans).

constituent, cyfansoddyn (eg), (ll. cyfansoddion).

    constitution, cyfansoddiad (eg), -au.

    constitutional, cyfansoddiadol (ans); cyfansoddol (ans).

constraint, cyfyngiad (eg), -au.

constrict, 1. darwasgu (be).

         2. ymgulhau (be).

    constriction, darwasgedd (eg).

construction, adeiladwaith (eg).

consultation, ymgynghori â (be).

    joint consultation, cydymgynghori (be).

consumer, treuliwr (eg), (ll. treulwyr); defnyddiwr (eg), (ll. defnyddwyr); prynwr (eg), (ll. prynwyr).

    consumption, treuliant (eg).

    consumption of fuel, traul (eg) tanwydd.

    consumption (of food), cymeriant (eg).

    over consumption, gordreuliant (eg).

    under consumption, isdreuliant (eg).

contact, cyffyrddiad (eg), -au; cyswllt (eg), (ll. cysylltau); cyffwrdd (be); cyffwrdd (ans); cyswllt (ans).

    contact breaker, cyswllt dorrwr (eg).

contagious, heintus (ans); ymledol (ans).

contagious abortion, erthyliad (eg) heintus.

contagious disease, haint (eb) llŷn; clefyd (eg) heintus.

contagious bovine pleuropneumonia, plewraniwmonia (eg) heintus gwartheg.

container, cynhwysydd (eg), (ll. cynwysyddion).

contaminate, difwyno (be); llygru (be).

contamination, difwyniad (eg); llygriad (eg).

content, cynnwys (eg), (ll. cynhwysion).

protein content, cynnwys (eg) protein.

contour, cyfuchlinedd (eg).

contour line, cyfuchlin (eg), -au.

contract, cytundeb (eg), -au; contract (eb), -au.

contractor, contractwr (eg), (ll. contractwyr); ymgymerwr (eg), (ll. ymgymerwyr).

contract,   1. crebachu (be).

              2. cyfangu (cyhyrau) (be).

contraction, cyfangiad (eg), -au.

muscle contraction, cyfangiad cyhyrol.

control,   1. rheolaeth (eb), -au.

              2. rheolydd (eg), -ion; controlydd (eg), -ion.

control experiment, arbrawf (eg) rheoledig.

draft control, rheolydd drafft.

position control, rheolydd safle.

conversion, cyfnewid (be).

conversion ratio, cymhareb (eb) gyfnewid.

food conversion ratio, cymhareb gyfnewid/trawsnewid bwyd.

convert, trawsnewid (be).

conveyance, trosglwyddiad (eiddo) (eg); trosglwyddeb (y ddogfen) (eg).

convulsions, dirdyniadau (ell).

cool, claear (ans); lled-oer (ans); oeri (be); lled-oeri.

coolant, oerydd (eg), -ion.

cooling fan, gwyntyll/ffan (eb) oeri, (ll. gwyntyllau/ffaniau oeri).

cooling system, system (eb) oeri, (ll. systemau oeri).

cooling tank, tanc (eg) oeri, (ll. tanciau oeri).

co-operation, cydweithrediad (eg).

co-operative, cydweithredol (ans).

co-operative company, cwmni (eg) cydweithredol.

co-operatives, cyrff/sefydliadau cydweithredol (ell).

co-ordination, cydgordiad (eg).

coping, copin (eg), -au; clo (eg), -eau, -eon.

copper, copr (eg); copor (eg).

copper sulphate, sylffad copor (eg).

copulate, cypladu (be); ymgydio â (be).

copulation, cypladiad (eg), -au; ymgydiad (eg), -au.

coppice (copse), coedlan (eb), -nau.

cord, llinyn (eg), -au
    umbilical cord, llinyn y bogail.
core, craidd (eg), (ll. creiddiau).
corm, corm (eg), -au; oddf (eg), -au.
    cormoid, cormaidd (ans).
corn, ŷd (eg), (ll. ydau).
    corn spurrey, troellig (eg) yr ŷd.
    beard of corn, col (eg), -ion.
    India corn/maize, Indian corn (eg); Indrawn (eg); corn melys (eg).
corpus, corpws (eg).
    corpus luteum, corpws lwtewm; corffyn (eg) melyn.
corpuscle, corffilyn (y gwaed) (eg), (ll. corffilod).
corrode, cyrydu (be).
    corrosion, cyrydiad (eg), -au.
    corrosive, cyrydol (ans).
corrugated, gwrymiog (ans); rhychiog (ans).
    corrugated sheets, llenni rhychiog.
cortex, cortecs (eg).
cost, cost (eb), -au.
    cost accounting, cyfrif costau.
    cost-benefit, dadansoddi cost a budd.
    cost effectiveness, cost ac effeithiolrwydd.
    costing, costiad (eg), -au.
    costs of production, costau cynhyrchu (ell).
    average cost, cyfargost (eb).
    comparative cost, cymhargost (eb).
    constant costs, costau cyson; costau digyfnewid (ell).
    decreasing costs, costau lleihaol (ell).
    fixed costs, costau sefydlog (ell).
    hidden costs, costau cudd (ell).
    increasing costs, costau cynyddol (ell).
    joint costs, cydgostau (ell).
    opportunity cost, cost ymwad (eb).
    overhead cost, argost (eb).
    prime costs, prif gostau (ell).
    total cost, cyfanswm (eg) cost.
    variable costs, costau newidiol (ell).
cotter (split) pin, pin (eb) hollt, (ll. pinnau hollt).
cotyledon, cotyledon (eb), -au; had-ddeilen (eb), (ll. had-ddail).
couch grass, marchwellt (ell).
coulter, cwlltwr (eg), (ll. cylltyrau).
    skim coulter, cwlltwr sgimio.
count, cyfrif (be); rhifo (be).
counterbalance, gwrthgytbwys (ans).

counterweight, gwrthbwysyn (eg), -nau.

counterfoil (cheque), bonyn (eg) siec, (ll. bonion siec).

Country Code, The, Rheolau Cefn Gwlad (ell).

couple, cwpl (eg), (ll. cyplau); cyplu (be); cyplysu (be).

    coupled, wedi'u cyplysu (ans); cypledig (ans).

    coupling, cyplydd (eg), -ion.

cover (insurance), sicredd (eg).

    to cover, sicreddu (be).

cow, buwch (eb), (ll. buchod).

    cow collar, aerwy (eg), -on, -au.

    cow cubicle, ciwbicl (eg) gwartheg; cuddygl (egb), -au.

    cow kennels, cenelau gwartheg (ell).

    cow mats, matiau buchod (ell).

    cow pox, brech (eb) y fuwch.

    dairy cow, buwch odro.

    draft cow, buwch a ddrafftiwyd; buwch wedi'i drafftio.

    dry cow, buwch hesb; buwch sych.

    house cow, buwch at y tŷ.

    nurse cow, buwch faeth.

    oestrum cow, buwch derfenydd; buwch wasod.

craft, crefft (eb), -au.

    craftsman, crefftwr (eg), (ll. crefftwyr).

cranefly/daddy-long-legs, pry teiliwr (eg), (ll. pryfed teiliwr); Jac y Baglau (eg); hirheglyn (eg).

cranial, creuanol (ans).

    cranium, creuan (eb), -au; penglog (eb), -au.

crank, camdro (eg), -eon; cranc (eg), -iau; camdroi (be).

    crankcase, cranc-gas (eg).

    crankshaft, crancsiafft (egb), -au; echel (eb) gam, (ll. echelau cam); camwerthyd (eb).

crayon, craeon (egb), -au; creon (egb), -au.

"crazy chick" disease, clefyd (eg) y "cyw penwan".

credit, credyd (eg), -on, -au.

    creditor, credydwr (eg), (ll. credydwyr); echwynnwr (eg), (ll. echwynwyr).

    credit note, nodyn (eg) credyd.

    to credit, cyfrif yn gredyd.

creep, ymgripiad (eg).

    creep feeder, blaen-fwydwr (eg), (ll. blaen-fwydwyr); didol borthwr (eg), (ll. didol borthwyr).

    creep feeding, didol borthi (be).

    creep feeding of lambs, didol borthi ŵyn bach.

    creep feeding of suckling pigs, didol borthi moch bach.

crop, cnwd (eg), (ll. cnydau).

    crop rotation, cylchdro (eg) cnydau, (ll. cylchdroeon cnydau).

break crop, cnwd newid/saib.

cash crop, cnwd gwerthu.

catch crop, cilgnwd; byrgnwd.

cover crop, cnwd gorchudd.

cultivated crop, cnwd trin.

double cropping, cnydio dwbl.

fodder crop, cnwd porthi.

forage crop, cnwd porthi.

main crop, prif gnwd.

nurse crop, cnwd meithrin.

root crops, gwreiddlysiau (ell).

subsistence crop, cnwd cynnal.

cross, croesiad (eg), -au; croesi (be).

crossbred, croesfrid (eg).

cross breeding, croesfridio (be).

cross fertilisation, croesffrwythloni (be).

crossing, croesi (be).

cross-infection, croes-heintiad (eg), -au.

cross pollination, croesbeilliad (eg).

cross section, trawsdoriad (eg).

cross-shaft, siafft (eb) groes.

crowbar, trosol (eg), -ion; bar (eg) trosol, (ll. barrau trosol).

crowfoot (buttercup), blodyn (y)menyn (eg); crafanc y frân (eb); blodyn melyn (eg).

creeping buttercup, crafanc orweddol; egyllt ymlusgol (eg).

crown wheel, coronrod (eb), -au; rhod (eb) goron.

crucks, nenffyrch (ell).

crude, crai (ans).

crude oil, olew (eg) crai.

crumb structure, adeiledd (eg) briwsion.

crumble, ymfalurio (be); briwsioni (be); malurio (be).

crusher, mathradur (eg), -on.

crushing, mathru (be).

crystal, grisial (eg), -au.

crystallize, grisialu (be).

crystallization, grisialu (be); grisialiad (eg).

cube, ciwb (eg), -iau.

cubic metre, metr (eg) ciwbig, (ll. metrau ciwbig).

cubicle, cuddigl (egb), -au; ciwbigl (eg), -au.

cull (culling), didoli (be); dethol (be); cylio (be); cwl (ans).

culls (lambs), cwlins (ell).

cultivate (land), trin (be); diwyllio (be).

cultivation, triniad (eg).

cultivator, diwyllydd (eg), -ion; pridd-drinydd (eg), -ion; triniadur (eg), -on.

rotary cultivator, diwyllydd cylchdro/rotari; pridd-drinydd cylchdro/rotari;

triniadur cylchdro/rotari.

culture, (bacterioleg) meithriniad (eg).

    culture cells, celloedd meithrin (ell).

    culture medium, cyfrwng (eg) meithrin; meithrinydd (eg).

    culture solution, toddiant (eg) meithrin.

    culture tissues, meinweoedd meithrin (ell).

culvert, cylfert (eg), -iau; cylfat (eg), -iau; ceuffos (eb), (ll. ceuffosydd).

cupping, cwpanu (be).

current, (trydan) cerrynt (eg), (ll. ceryntau).

    alternating current, cerrynt eiledol.

    direct current, cerrynt union.

curve, cromlin (eb), -au; crymu (be).

    curved, crwm (ans).

customer, cwsmer (eg), -iaid.

cut, cwt (eg), (ll. cytau); archoll (eg), -ion; torri (be); trychu (= *amputate*) (be).

    cut (of meat), darn (eg), -au; toriad (eg), -au.

    cut-off, torbwynt (eg), -iau.

    cut off, torri ymaith (be); torri i ffwrdd (be).

    cut shoot/stem, cyffyn/coesyn (eb) a dorwyd o blanhigyn; cyffyn/coesyn (eb) wedi'i dorri o blanhigyn.

    cutters, cynion (ell); torwyr (ell); cyllyll (ell).

    cutting action, arwaith (eg) torri.

    cutting clearance, cliriadau torri.

    cutting edge, ymyl (eg) torri.

    cutting speed, buanedd/sbîd torri.

    cutting stroke, strôc (eb) dorri.

    cutting tools, offer torri (ell).

    clean cut, toriad (eg) glân.

    second cuts, ail doriadau (ell).

cutaneous, croenol (ans).

cuticle, cwtigl (eg), -au.

cutter, mochyn (eg) torri, (ll. moch torri).

cutting, (Bot.) toriad (eg), -au.

cycle, cylchred (eb), -au.

    cyclic, cylchol (ans).

    breeding cycle, cylchred fridio.

    food cycle, cylchred fwydydd.

    nitrogen cycle, cylchred nitrogen.

    4-stroke cycle, cylchred pedair strôc.

cylinder, silindr (eg), -au.

cylindrical, silindrog (ans).

    measuring cylinder, silindr mesur; silindr wedi'i raddnodi; silindr graddnodedig.

cyst, coden (eb), -nau.

    cystic, cystig (ans); codennog (ans); (Medd.) pledrennol (ans).

cytology, cytoleg (eb); seitoleg (eb).

    cytoplasm, cytoplasm (eg); seitoplasm (eg).

D

dagging, tocio (be).

daily live weight gain, cynnydd pwysau byw dyddiol.

dairy, llaethdy (eg), (ll. llaethdai).

    dairy farm, fferm/ffarm (eb) laeth, (ll. ffermydd llaeth).

    dairy farming, ffermio/ffarmio llaeth (be).

    dairy products, cynnyrch (eg) llaeth, (ll. cynhyrchion llaeth).

    dairying, llaethyddiaeth (eb); llaetheg (eb); llaethydda (be).

daisy, llygad y dydd (eg).

dam, mam (eb).

damage, niwed (eg), (ll. niweidiau); niweidio (be).

damp, llaith (ans).

    dampness, lleithder (eg).

dashboard, dangos-fwrdd (eg), (ll. dangos-fyrddau); borden (eb) ffrynt.

dead body, celain (eb), (ll. celanedd); burgyn (eg), -od.

dead centre, canol (eg) llonydd; canol caled.

    top dead centre, canol llonydd uchaf.

    bottom dead centre, canol llonydd isaf.

dead-weight, pwysau ar y bach; pwysau marw.

debit, debyd (eg), -au.

    to debit, cyfrif yn ddebyd; debydu (be).

debris, malurion (ell).

debt, dyled (eb), -ion.

    debtor, dyledwr (eg), (ll. dyledwyr).

    sundry debtors, mân ddyledwyr; amrywiol ddyledwyr.

decarbonise, datgarboneiddio (be).

decay,   1. (Biol.) pydredd (eg).

               2. (Cem.) dadfeiliad (eg).

               dadfeilio (be); pydru (be).

decelerate, arafu (be).

    deceleration, arafiad (eg).

deciduous, collddail (ans).

    deciduous teeth, dannedd cyntaf (ell).

    deciduous trees, coed collddail (ell).

decompose, dadelfennu (be); ymddatod, (be).

decouple, dadgyplu (be); dadfachu (be).

decrease, lleihad (eg); lleihau (be).

    overall decrease, lleihad drwodd a thro.

deduct, didynnu (be); tynnu (be).

deed, gweithred (eb), -oedd.

deep, dwfn (ans).

    deep litter, gwasarn (eg), -au (dofednod/da pluog).

    depth, dyfnder (eg), -au.

depth gauge, medrydd (eg) dyfnder.
defaecate, ymgarthu (be).
    defaecation, ymgarthiad (eg).
defect, diffyg (eg), -ion.
deficiency, prinder (eg), -au; diffyg (eg), -ion; diffygiant (eg); diffygiad (eg).
    deficiency disease, clefyd prinder; clefyd diffygiant.
    deficiency payments, diffyg daliadau (ell).
    deficiencies, prinderau (ell); (Maeth) diffygiannau (ell).
    deficient, diffygiol (ans); diffygiannol (ans).
    deficit, diffyg (eg) ariannol, (ll. diffygion ariannol).
deflation, dadchwyddiant (eg).
    deflationary, dadchwyddol (ans).
defoliate, diddeilio (be).
deforestate, datgoedwigo (be); difforestu (be).
    reforestate, ailgoedwigo (be); ailfforestu (be).
deformed, camffurfiedig (ans).
    deformity, camffurfiad (eg), -au.
degeneracy, dirywiad (eg).
    degenerate, dirywio (be); dirywiedig (ans).
    degeneration, dirywiad (eg); dirywiant (= y cyflwr o ddirywio) (eg).
degrade, diraddio (be).
    degraded, diraddedig (ans).
dehorn, digornio (be).
    dehorned, di-gyrn (ans).
dehydrate, dadhydradu (be).
    dehydrated, dadhydradedig (ans); dehydredig (ans).
    dehydration, dadhydradiad (eg); dehydriad (eg).
    dehydration agent, dadhydradydd (eg), -ion; cyfrwng (eg) dadhydradu.
delivery date, dyddiad trosgludo (eg).
    delivery note, nod(yn) (eg) trosglud.
demand, galw (eg).
denaturing, annatureiddio (be).
denitrify, dadnitreiddio (be).
    denitrification, dadnitreiddiad (eg).
    denitrifying bacteria, bacteria dadnitreiddio (ell).
density, dwysedd (eg), -au.
dental, deintyddol (ans).
    dentition, daneddiad (eg).
deposit, adnau (eg), (ll. adneuon); blaendal (eg), -iadau; ernes (eb), -au.
    depositor, adneuydd (eg), (ll. adneuwyr); adneuwr (eg), (ll. adneuwyr).
deposit, dyddodyn (eg), (ll. dyddodion); gwaddodyn (eg), (ll. gwaddod);
    gwaelodion (ell); gwaddodi (be); gwaelodi (be).
depreciation, dibrisiad (eg); dibrisiant (eg); dibrisiannu (be/eg).
depression,   1. (tir) pant (eg), -iau.

33

2. (tywydd) dirwasgedd (eg), -au.

3. (ariannol) dirwasgiad (eg), -au.

depth, dyfnder (eg), -au.

    depth gauge, medrydd (eg) dyfnder.

dermatitis, dermatitis (eg); llid y croen (eg); croenlid (eg).

dessicator, sychiadur (eg), -on.

detect, canfod (be).

    detector, canfodydd (eg), -ion.

detergent, glanedydd (eg), -ion; detergydd (eg), -ion.

devalue, datbrisio (be).

    devaluation, datbrisiad (eg); datbrisiannu (be/eg).

develop, datblygu (be).

    developed, datblygedig (ans); wedi datblygu (ans).

    developing (embryo), (embryo) datblygol.

    development, datblygiad (eg), -au.

device, dyfais (eb), (ll. dyfeisiadau).

    adjusting device, dyfais gymhwyso.

    locking device, dyfais gloi.

dew, gwlith (eg), -oedd.

    dew point, gwlithbwynt (eg), -iau.

dextrose, decstros (eg).

diagnosis, diagnosis (eg), (ll. diagnosau).

diagram, diagram (eg), -au.

    Draw a fully labelled diagram, Gwnewch ddiagram wedi'i labelu'n fanwl.

dial, deial (eg), -au.

    dial gauge, medrydd (eg) deial.

diaphragm,   1. (Ffisiol.) llengig (eg), -oedd.

                    2. pilen (eb), -ni (*membrane*).

                    3. diaffram (eg), -au.

diarrhoea, dolur rhydd (eg); rhyddni (eg).

    diarrhoeal, rhydd (ans); sgoth.

dicotyledon, deucotyledon (eg); deuhad-ddeilen (eb).

diesel, diesel (eg); disel (eg).

    diesel engine, injan (eb) ddiesel; peiriant (eg) diesel.

diet, ymborth (eg); lluniaeth (eg).

    dietary, ymborthol (ans); lluniaethol (ans).

differential, differyn (eg), -nau; differol (ans).

    differential assembly, cydosodiad differyn.

    differential lock, clo differol.

diffuse, tryledu (be); tryledol (ans).

    diffusion, trylediad (eg), -au.

digest, treulio (be).

    digestible, treuliadwy (ans).

    digestible crude protein, protein (eg) crai treuliadwy.

34

digestibility, treuliadedd (eg); treuliadwyedd (eg).

digestion, treuliad (eg).

digestive disorders, anhwylderau (ell) treulio.

digestive system, system (eb) dreulio, (ll. systemau treulio); cyfundrefn (eb) dreulio, (ll. cyfundrefnau treulio).

digestive juices/enzymes, sugion/ensymau treulio (ell).

dilate, ymledu (be); ymagor (be) (pibell waed, etc.).

dilation, ymlediad (eg); llediad (eg).

dilute, gwanedu (be).

diluted, gwanedig (ans).

dilution, gwaneiddiad (eg), -au.

dioxide, deuocsid (eg).

dip (sheep), trochdrwyth (defaid) (eg); dip (eg).

dipping, trochi (be); dipio (be).

diploid, diploid (ans).

dipstick, trochbren (eb), -nau; gwialen (eb) fesur.

directives, cyfeirebau (ell).

disbudding (debudding), dadimpio (be).

disc, disg (egb), -iau; disgen (eg), -ni; disgio (be).

invertebral disc, disg r(h)yngfertebrol.

discharge,   1. (Medd.) rhedlif (eg), -au.
             2. (trydanol) dadwefriad (eg), -au; dadwefru (be).

discolour, afliwio (be).

discolouration, afliwiad (eg).

disconnect, datgysylltu (be).

discount, disgownt (eg), -iau.

at a discount, ar ddisgownt.

trade discount, disgownt masnach.

disease, afiechyd (eg), -on; clefyd (eg), -au; (Medd.) salwch (eg).

clostridial diseases, clefydau clostridial.

Notifiable Disease, Clefyd Hysbysadwy.

disinfect, diheintio (be).

disinfectant, diheintydd (eg), -ion.

disinfection, diheintiad (eg).

disinfest, diheigiannu (be).

disinfestation, diheigiant (eg).

disintegration, ymddatodiad (eg).

dislocate, datgymalu (be).

dislocation, datgymaliad (eg).

dispersal, gwasgariad (eg).

dissect, dyrannu (be).

dissection, dyraniad (eg), -au.

dissolve,   1. toddi (be).
             2. ymdoddi (be).

distemper, clefyd (eg) y cŵn.

distension, chwyddiant (eg).

> **distended,** chwyddedig (ans); wedi chwyddo (ans).

distil, distyllu (be).

> **distilled water,** dŵr distyll (eg).

distribute, dosrannu (be); dosbarthu (be).

> **distribution of plants,** dosraniad (eg) planhigion.

> **distributor,** dosbarthydd (eg), (ll. dosbarthwyr).

ditch, ffos (eb), -ydd; dyfrffos (eb), -ydd.

diversify, arall-gyfeirio (be); amryfalu (be).

> **diversification,** amryfalu (eg); amrywiant (eg).

> **diversity,** amryfalwch (eg); amryfaliaeth (eb).

dividend, buddran (eb), -nau.

dizygotic, deusygotig (ans).

dock (weed), dail tafol (ell).

docking, tocio (be).

"dog and stick" farming, ffermio "ci a phastwn".

domesticate, dofi (be); hyweddu (be).

> **domestic fowl,** dofednod (ell).

> **domesticated,** dof (ans); hywedd (ans).

dominance, trechedd (eg).

> **dominant,** trechol (ans).

> **dominant to ...,** yn drech na ...

dormancy, cysgiad (eg).

> **dormant,** ynghwsg (ans).

dose, dos (eb), -au; dosio (be).

> **dosing gun,** gwn (eg) dosio.

> **booster dose,** dos gyfnerthol.

> **reinforcing dose,** dos atgyfnerthol.

down calving, ar loea.

draft/draught, drafft (eg), -iau.

> **draft control lever,** lifer (eg) rheoli'r drafft.

> **draft force,** grym (eg) drafft.

drag, drag (eg), -iau.

dragon fly, gwas y neidr (eg), (ll. gweision y neidr).

drain, draen (eb), (ll. draeniau); drên (eb), (ll. draeniau); draenio (be); gwagio (be).

> **drainage,** draeniad (eg), -au; traeniad (eg), -au.

> **drainage pattern,** patrwm (eg) draeniad.

> **radical drainage,** draeniad rheiddiol.

> **mole drainage,** twrch-ddraeniad (eg); twrch-ddraenio (be).

draught animal, anifail gwedd, (ll. anifeiliaid gwedd).

drawbar, bar (eg) llusgo; drobar (eg).

drawings (money), tyniadau (ell).

drench, drens (eg), -iau.

drift, lluwch (eg), -feydd; drifft (eg), -iau.

   snow drifts, lluwchfeydd eira (ell).

drill, dril (eg), -iau; drilio (be).

   combine drilling, drilio cyfun.

   direct drilling, ailhadu uniongyrchol.

   hand drill, dril llaw.

   twist drill, dril dirdro.

drive, gyriad (eg), -au; gyriant (eg), (ll. gyriannau); trawsyriad (eg), -au; trawsyriant, (ll. trawsyriannau).

   chain drive, gyriad cadwyn.

   drive pinion, piniwn (eg) y gyriant.

   eccentric drive, gyriant echreiddig.

   live drive, gyriant byw.

drizzle, glaw mân (eg).

drop, dafn (eg), -au; diferyn (eg), (ll. diferion).

   dropper, diferydd (eg), -ion.

   dropping funnel, twmffat (eg) diferu/gwahanu; twndis (eg) diferu/gwahanu.

dropsy, dropsi (eg).

   ascites, dropsi'r bol.

drought, sychder (eg), -au; sychdwr (eg), (ll. sychderau).

dry (animal), hesb (ans).

   dry off, hesbio (be).

dry matter, sylwedd (eg) sych; defnydd (eg) sych; mater (eg) sych.

drug, cyffur (eg), -iau.

dry weight, pwysau sych (eg).

dual purpose, dau-bwrpas; deubwrpas.

duck, hwyaden (eb), (ll. hwyaid).

duct, dwythell (eb), -au.

   bile duct, dwythell y bustl.

   ductless gland, chwarren (eb) ddiddwythell.

dung, tail (eg); tom (eb).

duodenum, dwodenwm (eg); troedfeddyn (eg).

dust, llwch (eg).

   dusty, llychlyd (ans).

duty, toll (eb), -au.

   export duty, toll allforio.

   import duty, toll mewnforio.

dwarfism, corachedd (eg).

   dwarf plant, corblanhigyn (eg), (ll. corblanhigion).

dwelling, preswylfa (eb), (ll. preswylfeydd); annedd (egb), (ll. anheddau).

   agricultural dwelling, annedd amaethyddol.

dynamo, dynamo (eg), -au.

dysentry, dysentri (eg).

E

ear, clust (eb), -iau.

    ear blight, malltod coch (eg).

    ear drum, pilen (eg) y glust; tympan (eb) y glust.

    ear mark, nod (eg) clust, (ll. nodau clustiau).

    ear ossicle, esgyrnyn (eg) y glust; osigl (eg), -au y glust.

    ear tag, tag (eg) clust, (ll. tagiau clust).

    ear tattoo, tatŵ (eg) clust.

early, cynnar (ans).

    early bite, blewyn (eg) cynnar.

    early potatoes, tatws cynnar (ell).

earnings, enillion (ell).

earth, daear (eb); daearu (be).

    earth (soil), pridd (eg), -oedd.

earthworm, pry genwair (eg), (ll. pryfed genwair); abwydyn (eg), (ll. abwydod); mwydyn (eg), (ll. mwydod).

easy care, gofal (eg) hawdd.

    easy-feed, rhwydd-borthi (be); rhwydd-fwydo (be).

ecology, ecoleg (egb).

    ecological, ecolegol (ans).

economic, economaidd (ans).

    economical, darbodus (ans).

    economics, economeg (eb).

    economies of scale, darbodion maint (ell).

    economy, economi (eg), (ll. economïau).

    economy (e.g. of scale), darbodrwydd (eg); darbodion (eg).

ectoparasite, ectoparasit (eg), -iaid.

edge,   1. min (eg), -ion; awch (eg), -au.

            2. ymyl (egb), -on; ymylu (be).

eelworm, llyngyren lysiau (eb), (ll. llyngyr llysiau).

    eelworm (potato), llyngyren gwreiddiau tatws (eb), (ll. llyngyr gwreiddiau tatws).

effect, effaith (eb), (ll. effeithiau).

    effective, effeithiol (ans).

    effectiveness/efficacy, effeithiolrwydd (eg).

    side-effect, sgîl-effaith.

    after-effect, ôl-effaith.

efferent, efferol (ans); allgludol (ans).

efficiency, effeithlonrwydd (eg).

    efficient, effeithlon (ans).

effluent, elifiant (eg), (ll. elifiannau); elifyn (eg), (ll. elifion); elifol (ans).

effusion, allrediad (eg).

egestion, carthiad (eg), (llwybr treulio).

egg, wy (eg), -au.

ejaculation, tafliad (eg); sbyrtiad (eg).

elastic, elastig (ans); hydwyth (ans).

    elasticity, elastigedd (eg); hydwythedd (eg).

elastrator, elastradwr (eg); hydwythydd (eg).

electric, trydanol (ans).

    electricity, trydan (eg).

    mains electricity supply, prif gyflenwad trydan.

electrode, electrod (eg), -au.

    electrolyse, electroleiddio (be).

    electrolysis, electrolysis (eg).

    electrolyte, electrolyt (eg), -au.

electuary paste, past (eg) cyffeithlyd.

element, elfen (eb), -au.

    trace element, elfen hybrin.

elevator, codwr (eg), (ll. codwyr).

eliminate, dileu (be).

    elimination, dilead (eg), -au; gwaredu (o'r corff) (be); (Biol.) bwrw allan (be).

eluvial, echlifol (ans).

emaciated, curiedig (ans); tenau (ans); main (ans).

embed, gwelyo (be).

embryo, embryo (eg); rhith (eg).

    embryo reabsorption, adamsugniad (eg) embryoau.

    embryo sac, coden (eb) embryo, (ll. codennau embryo).

    embryo transfer, trosglwyddo embryo (be).

    embryonic, embryonig (ans).

emerge, dod allan (be).

    emergent, allddodol (ans).

emetic, cyfoglyn (eg), -nau.

emit, allyrru (be).

    emission, allyriant (eg), (ll. allyriannau).

    emitter, allyrrydd (eg).

employ, cyflogi (be).

    employer, cyflogwr (eg), (ll. cyflogwyr).

    employment, cyflogaeth (eb); gwaith (eg).

    casual employment, cyflogaeth ysbeidiol; cyflogaeth achlysurol.

    full employment, llawn gyflogaeth (eb); llawnweithdra (eg); cyflogaeth lawn.

    self-employed, hunan gyflogedig (ans).

    underemployment, tangyflogaeth (eb); tanweithdra (eg).

    unemployed, di-waith (ans).

    unemployment, diweithdra (eg).

encysted, cystiedig (ans); codennog (ans).

endemic, endemig (ans); endemig (eg).

endocarditis, endocarditis (eg); llid (eg) falfiau'r galon.

endocrine, endocrinaidd (ans).

endosperm, endosberm (eg).

end-product, cynnyrch terfynol (eg).

energy, egni (eg); ynni (eg).

    energy gap, gwagle (eg) egni.

    energy level, lefel (eg) egni, (ll. lefelau egni).

    energy value of food, gwerth egni bwyd; cyfwerth egni bwyd.

    digestible energy, egni (eg) treuliadwy.

    gross energy, egni crynswth.

    net energy, gwir egni.

    metabolisable energy, egni metaboladwy.

engine, peiriant (eg), (ll. peiriannau); injan (eb), -s.

    engineer, peiriannydd (eg), (ll. peirianwyr).

    agricultural engineer, peiriannydd amaethyddol.

    engineering, peirianneg (egb); peirianegol (ans).

ensile, silweirio (be).

enteritis, enteritis (eg); llid (eg) y coluddion.

enterprise, menter (eb), (ll. mentrau).

enterotoxaemia (struck), enterotocsaemia (stryc) (eg); arennau meddal (ell).

entire, heb ei ddisbaddu; heb ei 'sbaddu; heb ei gyweirio.

entomology, entomoleg (eg); pryfeteg (eg).

entry,   1. treiddiad (eg), -au.

              2. cofnod (eg), -ion.

environment, amgylchedd (eg), -au; amgylchfyd (eg), -oedd.

    environmental, amgylcheddol (ans).

enzyme, ensym (eg), -au.

epidemic, epidemig (eg), -au; epidemig (ans).

    epidemiology, epidemioleg (eg).

epidermal, uwchgroenol (ans); epidermaidd (ans).

    epidermis, uwchgroen (eg); epidermis (eg).

    epidural, epidwrol (ans).

epididymis, argaill (eb); epididymis (eg).

epiglottis, ardafod (eg); epiglotis (eg).

epizootic lymphangytis, limffangitis episöotig (eg).

equation, hafaliad (eg), -au.

equine, teulu'r ceffyl; ceffylaidd.

equipment, celfi (ell); offer (ell).

    fixed equipment, celfi sefydlog; offer sefydlog.

equivalent, cyfwerthydd (eg), -ion; cyfwerth (ans).

    equivalent to ..., cyfwerth â (ag) ...

    equivalence, cyfwerthedd (eg).

erect, talsyth (ans).

ergot, mallryg (eg); ergot (eg), -au.

erode, erydu (be).

    eroded surface, arwyneb (eg) erydog, (ll. arwynebau erydog).

erosion, erydiad (eg).

erosive, erydol (ans).

eructation (belch), bytheirio (be).

essential, hanfodol (ans).

essential amino acids, asidau amino hanfodol.

estate, ystad (eb), -au; stad (eb), -au.

estimate, amcangyfrif (be).

estimation, amcanfesur (eg), -iadau; amcangyfrif (eg), -on.

estimated dressed carcase weight, pwysau tybiedig carcas paratoedig.

estrumate, estrwmad (eg).

ethene (ethylene), ethen (eg).

European Economic Community, Y Gymuned (eb) Economaidd Ewropeaidd.

Eustachian tube, tiwb Eustachio (eg); piben (eb) Eustachio.

evagination/eversion, allweiniad (eg) -au; troi y tu chwith allan (be).

evaluate, gwerthuso (be); cloriannu (be); (Math.) enrhifo (be); pennu gwerth (be); prisio (be).

evaluation, prisiad (eg), -au.

evaporate, anweddu (be).

evaporation, anweddiad (eg), -au.

even, llyfn (ans).

evergreen, bythwyrdd (eg), -ion; bythwyrdd (ans); bytholwyrdd (ans).

evergreen tree, coeden (eb) fytholwyrdd, (ll. coed bytholwyrdd).

evolve, esblygu (be).

evolution, esblygiad (eg), -au.

evolutionary, esblygiadol (ans).

ewe, mamog (eb), -iaid.

cast/draft ewe, mamog ddrafft; dafad (eb) ddidol; dafad werthu (eb).

yearling ewe, hesbin (egb), -od; hesben (eb), -od.

example, enghraifft (eb), (ll. enghreifftiau).

excite, cyffroi (be); cynhyrfu (be).

excrete, ysgarthu (be).

excretion, ysgarthiad (eg), -au.

excretory substances, sylweddau ysgarthiol (ell).

exemption (income tax), rhyddhad (eg), -au.

exercise (bodily activity), gweithgarwch (eg) corfforol; ymarfer (eg) corff.

exfoliation, diblisgiad (eg), -au; diblisgiant (eg).

exhale, anadlu allan (be); allanadlu (be).

exhaled gases, nwyon allanadlol (ell).

exhaust, gwacáu (be).

exhaust manifold, maniffold (eg) disbyddu.

exhaust pipe, pibell (eb) ddisbyddu, (ll. pibellau disbyddu).

exhaust stroke, strôc (eb) wacáu.

exhibit/display, arddangos (be).

exotic, egsotig (ans).

expand, (Cem.) ehangu (be); ymlacio (cyhyrau) (be).

expansion, ehangiad (eg).

expected (value), (gwerth) disgwyliedig (ans).

expenditure, gwariant (eg); traul (eb), (ll. treuliau).

expenses, treuliau (ell).

experiment, arbrawf (eg), (ll. arbrofion).

experimental, arbrofol (ans).

expire, anadlu allan (be); allanadlu (be).

expired air/gases, aer/nwyon allanadledig (ell).

explain, egluro (be); esbonio (be).

explanation, eglurhad (eg), -au; esboniad (eg), -au.

exposure, bod yn nannedd tywydd.

export, allforio (be); allforyn (eg), (ll. allforion).

Export Subsidy (or Restitution), Cymhorthdal (eg) Allforio (neu Adfer).

expose, 1. datgelu (be).

2. rhoi mewn ...

3. dinoethi (be).

4. amlygu (be).

expose to light, rhoi yn y golau.

exposure, amlygiad (eg), -au; anghuddiad (eg), -au; bod yn nannedd tywydd.

extend, 1. estyn (be).

2. ymestyn (be).

extension, estyniad (eg), -au; ymestyniad (eg), -au.

extracellular, allgellog (ans).

extract, echdyniad (eg), -au; trwyth (eg); echdynnyn (eg), (ll. echdynion); echdynnu (be).

eye, llygad (egb), (ll. llygaid).

eyeball, pelen (eb) y llygad.

eye level, llinell (eb) orwel, (ll. llinellau gorwel).

eyelid, amrant (eg), (ll. amrannau).

eyespot, smotyn (eg) llygad.

F

factor, ffactor (eb), -au; elfen (eb), -nau.

    causative factor, ffactor achosol.

faecal, ymgarthol (ans).

    faeces, ymgarthion (ell); tom (eb).

failure, diffyg (eg), -ion; methiant (eg), (ll. methiannau).

    failure to thrive, anffyniant (eg).

Fallopian tube, tiwb (eg) Fallopius; tiwb Fallopio; piben (eb) Fallopius; piben Fallopio.

fallout, alldafliad (eg) -au.

    radioactive fallout, alldafliad ymbelydrol.

fallow, braenar (eg), -au.

    to fallow, braenaru (be).

false, ffug (ans).

    false fruit, ffug ffrwythyn (eg), (ll. ffrwythau ffug).

    false root, gwreiddyn (eg) ffug, (ll. gwreiddiau ffug).

fan, ffan (eb), -iau; gwyntyll (eb), -au.

    extractor fan, ffan/gwyntyll echdynnu.

farcy, ffarsi (eg), clefri mawr (eg).

farm, fferm/ffarm (eb), -ydd.

    farm implements, offer fferm/ffarm (ell).

    farm gate sales, gwerthiant (eg) llidiart y fferm/ffarm.

    farmyard, buarth (eg), -au; clos (eg), -ydd; iard (eb), (ll. ierdydd).

    farming, amaethu (be); ffermio/ffarmio (be).

    arable farm, fferm/ffarm âr.

    arable farming, ffermio/ffarmio âr.

    beef farming, ffermio/ffarmio biff; ffermio/ffarmio eidion.

    dairy farm, fferm/ffarm laeth.

    dairy farming, ffermio/ffarmio llaeth.

    dry farming, ffermio/ffarmio sych.

    extensive farming, ffermio/ffarmio bras/eang/lled ddwys.

    factory farming, ffermio/ffarmio gorddwys.

    hill farming, ffermio/ffarmio mynydd.

    home farm, fferm/ffarm y plas; fferm/ffarm y faenor.

    intensive farming, ffermio/ffarmio arddwys.

    ley farming, ffermio/ffarmio gwndwn.

    livestock farming, ffermio/ffarmio da byw.

    mixed farm, fferm/ffarm gymysg.

    mixed farming, ffermio/ffarmio cymysg.

    organic farming, ffermio/ffarmio organig.

    pastoral farming, ffermio/ffarmio bugeiliol.

    peasant farming, ffermio/ffarmio gwerin.

    sheep farming, ffermio/ffarmio defaid.

    stock farming, ffermio/ffarmio stoc.

subsistence farming, ffermio/ffarmio ymgynhaliol.

truck farming, ffermio/ffarmio tryc.

farrow (ing), bwrw perchyll (be); dod â moch bach (be); tor(llwyth) (eb) o foch; hesb (ans).

    farrowing crate, crêt (eg) dod â moch bach; cawell (eg) esgor, (ll. cewyll esgor).

    farrowing fever, twymyn (eg) geni; twymyn esgor.

    farrowing house, adeilad (eg) esgor.

fat,   1. (y cyfansoddyn cemegol) braster (eg), -au;

              2. bloneg (eg); tew (ans).

    fat cattle, gwartheg tew (ell).

    fat depot, storfa (eb) fraster, (ll. storfeydd braster).

    fat hen (weed), iâr (eb) dew.

    fat soluble vitamins, fitaminau braster-hydawdd (ell).

    fatty, brasterog (ans); blonegog (ans).

    fatty acid, asid (eg) brasterog.

    fatty marrow, mêr (eg) brasterog.

fatigue, lludded (cyhyrol), (eg).

favourable, ffafriol (ans).

    favoured, ffafrus (ans).

    less favourable, llai ffafriol.

    less favoured, llai ffafrus.

feature, nodwedd (eb), -ion; arwedd (eb), -ion.

    characteristic feature, arwedd nodweddiadol.

fecund, epilgar (ans).

fecundity, epilgaredd (eg); ffrwythlonedd (eg); ffrwythlondeb (eg); ffrwythlonrwydd (eg).

feed,   1. porthi (be); bwydo (be).

           2. ymborthi (be); bwyd (eg), -ydd; ffîd (eg), -iau; porthiant (eg), (ll. porthiannau).

    feed blocks, blociau porthi (ell).

    feed to yield, bwydo yn ôl y cynnyrch.

    feeder, ymborthwr (eg), (ll. ymborthwyr).

    feeding habits, arferion bwyta (ell).

    automatic feed, porthiant awtomatig.

    flat rate feeding, bwydo un cyfradd i'r cwbl.

    gravity feed, llif disgyrchiant.

feeler gauge, medrydd (eg) teimlo, (ll. medryddion teimlo).

feline, teulu'r gath; cathol (ans).

felling trees, torri coed (be).

female, benyw (eb), -od; benywol (ans); benywaidd (ans).

femoral, morddwydol (ans); clunaidd (ans); ffemorol (ans); ffemwrol (ans).

    femur, asgwrn (eg) y morddwyd/y forddwyd, (ll. esgyrn y morddwyd/y forddwyd); asgwrn y glun; ffemwr (eg).

fence, ffens (eb), -ys; ffensio (be).

fencer, ffensiwr (eg), (ll. ffenswyr).

electric fence, ffens drydan.

feral, gwyllt (ans).

ferment, eplesu (be).

fermentation, eplesiad (eg), -au.

fern, rhedynen (eb), (ll. rhedyn).

fertile, ffrwythlon (ans).

fertility, ffrwythlondeb (eg); ffrwythlonedd (eg).

soil fertility, ffrwythlondeb pridd.

fertilization, ffrwythloniad (eg).

fertilize, 1. (Biol) ffrwythloni (be).

2. (Amaeth) gwrteithio (be).

fertilizer, gwrtaith (eg), (ll. gwrteithiau).

granular fertilizer, gwrtaith gronynnog.

fescue, peiswelltyn (eg), (ll. peiswellt); peiswellt tal.

fester, casglu (be); crawni (be); crynhoi (be); madru (be).

fetch, cyrchu (be); mynd i nôl (be); mynd i 'mofyn (be).

fever, 1. twymyn (eb), -au.

2. (= gwres y corff) gwres (eg).

fibre, ffibr (eg), -au.

fibre content (of foods), cynnwys (eg) ffibr.

fibrin, ffibrin (eg).

fibrous, ffibrog (ans).

fibrous coat, côt (eb) ffibrog.

fibula, ffibwla (eg); rhaclun (eg).

field, cae (eg), -au; maes (eg), (ll. meysydd).

field capacity, cynhwysedd (eg) maes; cynhwysiad (eg) maes.

field drainage, draenio tir (be).

field beans, ffa caeau (ell).

filament, ffilament (eg), -au.

filamentous, ffilamentog (ans); edafog (ans).

file, ffeil, (eb), -iau; ffeilio (be).

fill/filling, llenwad (eg), -au.

filler, llenwydd (eg), -ion.

filter, ffilter (eg), -au, -i; hidlo (be); hidlen (eb), -ni.

filler inlet funnel, ffilter y fewnfa lenwi.

filter funnel, twmffat (eg) hidlo; twndis (eg) hidlo.

filter pump, pwmp (eg) hidlo; pwmp sugno.

filter paper, papur (eg) hidlo.

filtrate, hidlif (eg), -au.

filtration, hidliad (eg); hidlo (be).

air filter, ffilter aer.

delivery line filter, ffilter y llinell drosglud.

oil filter, ffilter oel/olew.

suction line filter, ffilter y llinell sugnedd.

fin, asgell (eb), (ll. esgyll); adain (eb), (ll. adanedd, adenydd).

finance, codi arian ar gyfer (be); ariannaeth (eg); cyllid (eg), -au.

    financial, ariannol (ans).

    financial transaction, trafod (eg) ariannol, (ll. trafodion ariannol).

fine, mân (ans).

    fine mesh, rhwydwaith (eg) mân.

    fineness, manedd (eg), -au; mander (eg), -au.

finish (on animal), gorffeniad (eg).

    finishing, gorffen (be); pesgi (be); tewychu (be).

firm, cadarn (ans).

    firmness, cadernid (eg).

fish meal, blawd (eg) pysgod.

fistula, ffistwla (eg).

fittings, mân daclau (ell).

fix, sefydlogi (nitrogen) (be).

    fixation, sefydlogiad (eg).

    nitrogen fixation, sefydlogiad nitrogen.

flagellum, fflagela (eg); fflangell (eb), -au.

flail, ffust (eb), -iau.

    flail type forage harvester, cynaeafwr (eg) cnwd porthi math ffust.

flammable, fflamadwy (ans).

flange, asgell (eb), (ll. esgyll).

flank, ystlys (egb), -au.

    thick flank, ystlys dew.

    thin flank, ystlys denau.

flat, gwastad (ans).

    flat rate feeding, bwydo un cyfradd i'r cwbl.

flax, llin (eg).

flea, chwannen (eb), (ll. chwain).

fleece, cnu (eb), -au, -oedd.

flesh, cig (eg), -oedd, -au; cnawd (eg).

    proud flesh, cig marw.

flexible, hyblyg (ans).

    flexibility, hyblygrwydd (eg).

float, arnofio (be).

flocculation, clystyrru (be).

flock, diadell (eb), -au; praidd (eg), (ll. preiddiau).

flood plain, gorlifdir (eg), -oedd.

    flood water, llifddwr (eg), (ll. llifddyfroedd).

    floods, llifogydd (ell).

floor, llawr (eg), (ll. lloriau).

    floor level, lefel (y) llawr (eg).

    floor space, arwynebedd (eg) llawr.

slatted floors, lloriau slatiog.

flora, fflora (ell); planhigion (ell); fflurdyfiant (ell).

floret, blodigyn (eg), (ll. blodigion).

flow, llif (eg), -ogydd.

energy flow, llif egni.

flower, blodyn (eg), (ll. blodau).

flower heads, fflurbennau (ell); pennau blodau (ell).

flowering plant, planhigyn (eg) blodeuol.

non-flowering plant, planhigyn (eg) anflodeuol.

fluctuation, anwadaliad (eg), -au; endoniant (eg), (ll. endoniannau).

fluid, hylif (eg), -au; llifydd (eg).

brake fluid, hylif brêc.

flush, gwrid (eg); gwrido (be); golchi ymaith (be).

flushing, cyflyru (be).

flush (of grass), ymchwydd (o borfa) (eg).

fly strike, cynrhoni (be).

flying herd, buches dros dro; buches dros gyfnod byr.

flywheel, chwylrod (eb), -au; chwylolwyn (eb), -ion.

fodder, porthiant (eg), (ll. porthiannau); gogor (eb), -ion.

foetal, y ffoetws (eg).

foetal membrane, pilen (eb) y ffoetws (eg); milrhith (eg).

foggage, ffeg (eg).

foil, ffoil (eg).

fold, corlannu (be); ffaldio (be).

fold,   1. corlan (eb), -nau.

                      2. plyg (eg), -ion.

folded wall of the intestine, mur (eg) plyg y coluddyn.

folding, llocio (be).

foliage, dail (ell); deiliant (eg), (ll. deiliannau).

foliar, deiliog (ans).

foliar diseases, clefydau dail (ell).

foliated, deiliog (ans).

foliation, deiliogrwydd (eg).

follicle, ffoligl (eg), -au.

Graafian follicle, ffoligl Graaf.

follicular, ffoliglaidd (ans).

followers, dilynwyr (ell).

food, bwyd (eg), -ydd.

food chain, cadwyn (eb) fwyd.

food, classes/types of, mathau o fwyd/fwydydd.

foodstuff/food substance, sylwedd (eg) bwyd.

foodstuffs, ymborthiant (ell); bwydydd (ell).

foot and mouth disease, clwy'r traed a'r genau (eg).

foot abscess, casgliad (eg) y traed.

footbath, baddon (eg) traed.

foot rot, clwy'r traed (eg); pydredd (eg) y traed.

foothills, godrefryniau (ell).

footpath, llwybr (eg) troed, (ll. llwybrau troed).

forage, helfwyd (eg); glasfwyd (eg).

    forage box, bocs (eg) porthiant.

    forage harvesting, cynaeafu cnwd porthi.

fore, blaen (ans).

    fore-limb, coes (eb) flaen, (ll. coesau blaen).

forest, coedwig (eb), -oedd; fforest (eb), -ydd.

    forestry, coedwigaeth (eb).

    Forestry Commission, Comisiwn Coedwigaeth (eg).

    afforestation, coedwigo (be); fforestu (be).

    deforestation, datgoedwigo (be); difforestu (be).

    reforestation, ailgoedwigo (be); ailfforestu (be).

fork, fforch (eb), (ll. ffyrch).

form, ffurf (eb), -iau.

    formation, 1. (arrangement) trefniant (eg), (ll. trefniannau).

              2. (process) ffurfiant (eg), (ll. ffurfiannau).

    formulation, ffurfiant (eg), (ll. ffurfiannau).

    egg formulation, ffurfiant wy.

formalin, fformalin (eg).

formula, fformwla (eb), -au.

forward stores, gwartheg stôr yn barod i'w pesgi.

foul brood disease of bees, clefyd (eg) y gwenyn.

foul-in-the-foot/foul-of-the-foot, troed (egb) clonc; llaig (eg).

four-stroke, pedair strôc (ans).

four-stroke engine, injan (eb) bedair strôc; peiriant (eg) pedair strôc.

four-tooth, pedwardant.

    six-tooth, chwedant.

    two-tooth, deuddant.

fowl cholera, geri (eg) dofednod.

    fowl pest, haint (eb) dofednod.

    fowl pox, brech (eb) dofednod.

    fowl typhoid, teiffoid (eg) dofednod.

foxgloves, bysedd y cŵn; bysedd cochion (ell).

fracture, torasgwrn (eg); toriad (eg), -au; torri (be).

framework, fframwaith (eg), (ll. fframweithiau).

free access, mynediad (eg) rhydd; mynediad didramgwydd.

freehold, rhydd-ddaliadol (ans).

    freehold land, tir (eg) rhydd-ddaliadol.

    freeholder, rhydd-ddeiliad (eg), (ll. rhydd-ddeiliaid).

freemartin (Will-Jill), deurywyn (eg); hanner peth (eg); gwrfenyw (eg).

free range, maesrydd (ans); rhyddgylch (ans).

free range hens, ieir rhydd (ell); ieir buarth (ell); ieir maes (ell); ieir buarth a maes (ell).

freeze, rhewi (be).

freeze-brand, rhew-nodi (be); rhew-farcio (be).

freeze-dry, rhew-sychu (be); sych-rewi (be).

freezing point, rhewbwynt (eg), -iau.

freezing rain, glasrew (eg).

freshwater, dŵr croyw (eg), (ll. dyfroedd croyw).

friable, hyfriw (ans).

friction, ffrithiant (eg), (ll. ffrithiannau); rhygniad (eg); rhwbiad (eg); rhathiad (eg).

frit fly, pryfyn (eg) ffrit, (ll. pryfed ffrit).

frond, ffrond (eg) -iau.

front, ffrynt (egb), -iau.

cold front, ffrynt oer.

warm front, ffrynt cynnes.

frost, barrug (eg); llwydrew (eg); rhew (eg), -ogydd.

frost action, gwaith rhew.

frost hollow, pant rhew.

frost line, rhewlin.

frost pocket, poced rew.

frost shattered, rhewfriw.

black frost, rhew du (eg).

ground frost, rhew daear.

hoar frost, barrug; llwydrew.

fructose, ffrwctos (eg).

fruit, ffrwyth (eg), -au.

a single fruit, ffrwythyn (eg), (ll. ffrwythynnau).

false fruit, ffug ffrwythyn.

true fruit, gwir ffrwythyn.

fuel, tanwydd (eg), -au.

full-mouth, ceg-lawn; llawn ceg.

fumes, mygdarth (ell).

fumigate, mygdarthu (be).

fuming, mygdarthol (ans).

function, swyddogaeth (eb), -au.

fund, trawsgronni (be); cronfa (eb), (ll. cronfeydd).

fungal, ffwngaidd (ans).

fungicide, ffwngleiddiad (eg), (ll. ffwngleiddiaid).

fungus, ffwng (eg), (ll. ffyngau).

parasitic fungus, ffwng (eg) parasitig.

saprophytic fungus, ffwng saproffytig.

symbiotic fungus, ffwng symbiotig/cydfywydog.

funnel, twmffat (eg), -au; twndis (eg), -au; twnffed (eg), -i.

furrow, cwys (eb), -i, -au.

furrow slice, ysglisen (eb) y gwys.

fuse, ffiws (eg), -ys; ffiwsio (be).

    fused, ymdoddedig (ans); ymasiedig (ans).

    fusion,   1. (Cem.) ymdoddiad (eg).

                2. (celloedd rhywiol) ymasiad (eg).

G

gable, talcen (eg), -ni, -nau.

gain, ennill (eg), (ll. enillion).

    capital gains, enillion cyfalaf(ol) (ell).

    net gain, ennill clir (eg).

gale, tymestl (eb), (ll. tymhestloedd).

gall (bile), bustl (eg), -au.

    gall-bladder, coden (eb) y bustl; coden fustl.

    gall (on plants), ardyfiant (eg) planhigol.

    gall fly, pry'r dderwen (eg), (ll. pryfed y dderwen).

    oak gall, afal derw (eg).

gallon, galwyn (egb), -i.

galvanise, galfanu (be); galfaneiddio (be).

    galvanized iron, haearn (eg) galfanedig.

game birds, adar hela (ell).

gangrene, madredd (eg).

    gangrenous, madreddog (ans).

gap, bwlch (eg), (ll. bylchau); adwy (eb), -on; adwyo (be).

gas, nwy (eg), -on.

    gaseous, nwyol (ans).

gasket, gasged (egb), -i.

gastric, gastrig (ans); cyllaol (ans).

    gastric gland, chwarren (eb) gastrig.

    gastric juice, sudd (eg) gastrig; sudd cyllaol.

    gastritis, llid (eg) y cylla.

    gastro-enteritis, llid (eg) y coluddion.

    gastrointestinal (tract), pibell (eb) gastro-berfeddol; llwybr treuliad (eg).

gate, clwyd (eb), -i, -au; gât (eb), -iau; giât (eb), -iau; llidiart (egb), (ll. llidiardau); iet (eb), -au, -iau.

gauge, me(i)drydd (eg), -ion; medryddu (be).

    feeler gauge, me(i)drydd teimlo.

    pressure gauge, me(i)drydd gwasgedd/pwysedd.

gauze, rhwyllen (eb), -ni; rhwyllog (ans); meinwe (eg), -oedd.

    gauze cloth, lliain (eg) rhwyllog.

    wire gauze, rhwyllen (eb), -ni.

gear, gêr (egb), (ll. gerau).

    gear box, blwch (eg) gêr, (ll. blychau gêr); gerbocs (eg), (ll. gerbocsys).

    gear ratio, cymhareb (eb) gêr, (ll. cymarebau gêr).

    timing gears, gerau amseriad (ell).

gel, gel (eg), -iau.

gemma, blaguryn (eg), (ll. blagur).

    gemmule, gemwl (eg), (ll. gemylau); blagurolyn (eg), -nau.

gene, genyn (eg), -nau.

generate, cynhyrchu (be); generadu (be).

generator, generadur (eg), -on.

generation, cenhedlaeth (eb), (ll. cenedlaethau).

genetic, genetig (ans).

genetic variation, amrywiaeth (eb) genetig.

genetics, geneteg (egb).

genital, cenhedlol (ans).

genitals, genitalia (ell); organau cenhedlu (ell); organau epilio (ell).

gently rounded slopes, llethrau esmwythgrwn (ell).

genus, genws (eg), (ll. genera); tylwyth (eg), -au.

germ, germ (egb), -au; bywyn (eg), -nau.

germ cell, cell (eb) genhedlu, (ll. celloedd cenhedlu); gamet (eg), -au.

germinal, cenhedlog (ans).

germinate, egino (be).

germination, eginiad (eg), -au.

germinating seed, hedyn (eg) eginol, (ll. hadau eginol).

germinating temperature, tymheredd (eg) egino, (ll. tymereddau egino).

wheat germ, bywyn gwenith.

gestation, cyfebriad (eg).

gestation period, cyfnod (eg) cario; cyfnod beichiogrwydd; cyfnod cyfebru.

giant, enfawr (ans).

gid, y bendro (eb).

gilt, hesbin(h)wch (eb), (ll. hesbin(h)ychod); banwes (eb), -au.

maiden gilt, hesbin(h)wch/banwes heb gael baedd.

gimmer, hesbin (egb), -od.

girder, trawst (dur) (eg), -iau (dur); hytraws (eg), -tiau.

girdle, gwregys (eg), -au.

pelvic girdle, y gwregys (eg) pelfig.

gizzard, glasog (eb).

gland, chwarren (eb), -nau.

gland cistern, seston (eb) chwarren.

glandular, chwarennol (ans).

endocrine gland, chwarren endocrin.

exocrine gland, chwarren ecsocrin.

lymphatic gland, chwarren lymffatig.

mammary gland, chwarren laeth.

pituitary gland, chwarren bitwidol.

salivary gland, chwarren boer.

thyroid gland, chwarren thyroid.

glanders, llymeirch/llynmeirch (eg) yr ysgyfaint; yr ysgyfaint (ell).

globule, globwl (eg), (ll. globylau).

fat globules, globylau braster (ell).

globulin, globwlin (eg).

glottis, glotis (eg); ôl-dafod (eg).

glucose, glwcos (eg).
glut, gorlawnder (eg).
glycerol, glyserol (eg).
glycogen, glycogen (eg).

gnat, mân-wybedyn (eg), (ll. mân-wybed); piwiedyn (eg), (ll. piwiad, piwiaid).
goods, nwyddau (ell).
goose, gŵydd (eb), (ll. gwyddau).
    goose grass (cleavers), gwlydd (ell) y perthi; llau'r perthi (ell).
gorse, eithin (ell); eithinen (un.b).
governor (engine), gyfernor (eg); llywodraethydd (eg).
Graafian follicle, ffoligl (eg) Graaf.
grab, crafangwr (eg).
grade, gradd (eb), -au; graddio (be); graddoli (be).
    grade up, graddio i fyny.
    graded, graddedig (ans).
    graduated, graddnodedig (ans).
graft, impiad (eg), -au; impio (be).
    graft hybrid, croesryw impiedig (eg).
grain,   1. ŷd (eg), -au; grawn (eg).
               2. gronyn (eg), -nau.
    grain weevil, gwyfyn (eg) yr ŷd, (ll. gwyfynod yr ŷd).
gram(me), gram (eg), -au.
grant, grant (eg), -iau.
granule, gronigyn (eg), (ll. gronigion).
    granular, gronynnog (ans); gronigol (ans).
    granulation tissue, meinwe (eg) gronynnog; meinwe gronigol.
    grass, glaswellt (ell); gwelltglas (eg); porfa (ell).
    grass plant (a single -), glaswelltyn (eg).
    grass (a blade of -), gwelltyn (eg).
    grass bent, cawnen (eb) benddu.
    grass finishing system, system pesgi ar borfa.
    grass keep, porfelaeth (eb).
    grassland, tir glas (eg); glaswelltir (eg).
    grass mixtures, cymysgedd (eg) hadau.
    grass staggers, dera'r borfa (eb).
    grass tetany, y cryndod (eg).
    companion grass, cymar (eg) laswellt.
    temporary grass, tir (eg) pori dros dro.
gravel, gro (eg); graean (eg).
graze, pori (be).
    grazier, porfäwr (eg), (ll. porfäwyr).
    grazing land, tir (eg) pori, (ll. tiroedd pori).
    controlled grazing, pori rheoledig (eg).
    overgrazing, gor-bori (be).

paddock grazing, pori padogau.

permanent grazing, pori sefydlog.

random grazing, hap bori.

rotational grazing, pori cylchdro.

strip grazing, llain bori.

temporary grazing, pori dros dro.

undergrazing, pori annigonol (be).

zero grazing, sero bori.

grease, irad (eg), (ll. ireidiau); saim (eg), (ll. seimiau); iro (be); seimio (be).

grease gun, gwn (eg) saim; gwn (eg) irad.

grease nipple, nipl (egb) saim; teth (egb) saim.

greasy, seiml(l)yd (ans).

green belt, gwregys (eg) glas, (ll. gwregysau glas); belt (eg) glas, (ll. beltiau glas).

greenfly, pry (eg) gwyrdd, (ll. pryfed gwyrdd); llysleuen (eb), (ll. llyslau); buwch y morgrug (eb), (ll. buchod y morgrug).

green manure, gwrtaith (eg) glas.

green sward, glastir (eg), (ll. glastiroedd).

"green pound", "y bunt werdd" (eb).

grid, grid (eg), -iau.

cattle-grid, grid gwartheg.

grind, llifanu (be); llifo (be); malu (be).

grinder, llifanydd (eg), -ion; peiriant (eg) llifanu/llifo.

grindstone/grinder, maen (eg) llifanu; maen llifo.

grip, gafael (eg); gafael (be).

gripe, cnofa (eb).

gripping, gripio (be).

grit, grut (eg), -iau.

gritaceous, grutiog (ans).

gritty, grutaidd (ans).

groin, cesail (eb) y forddwyd.

groove, rhigol (eb), -au.

grooving, rhigoliad (eg), -au; rhigoli (be).

gross, crynswth (eg).

gross loss, colled (eb) grynswth.

gross profit, elw (eg) crynswth.

gross margin, elw crynswth; bras wahaniaeth (eg).

ground frost, llorrew (eg); barrug (eg).

groundnut meal, blawd (eg) cnau daear.

ground water, dŵr (eg) daear, (ll. dyfroedd daear).

grove, celli (eb), (ll. cellïau, cellïoedd).

grow (animal), prifio (be); tyfu (be).

growing point, tyfbwynt (eg), -iau.

growing season, tymor (eg) tyfu, (ll. tymhorau tyfu).

growth, (y broses o dyfu) twf (eg); tyfiant (eg).

growth promoters, hyrwyddwyr tyfiant (ell).

growth (finance), ffyniant (eg).

growth hormone, hormon (eg) twf.

growth rate, cyfradd (egb) twf.

growth response, twf ymateb.

second growth, ail dyfiant (eg), (ll. ail dyfiannau).

secondary growth, eildwf (eg).

guano, giwano (eg); giwana (eg).

guaranteed prices, prisiau (ell) gwarantedig.

guard, gard (eg), -iau; gwarchodydd (eg), -ion; gwarchod (be).

guard cell, cell (eb) warchod, (ll. celloedd gwarchod).

guard plate, plât (eg) gwarchod, (ll. platiau gwarchod).

guard rail, rheilen (eb) warchod, (ll. rheiliau gwarchod).

guide price, tywys-bris (eg), (ll. tywys-brisiau).

Gulf Stream, Llif (eg) y Gwlff.

gullet, llwnc (eg), (ll. llynciau).

gully, gwli (eg), (ll. gwlïau).

gum, gorchfan(t) (eg), (ll. gorchfannau); deintgig (eg).

gumboro disease, clefyd (eg) gumboro.

gut, perfeddyn (eg), (ll. perfeddion).

gut wall, mur (eg) y perfeddyn; wal (eg) y perfeddyn.

H

habitat, cynefin (eg), -oedd.
hacksaw, haclif (eb), -iau; llif (eb) fetel, (ll. llifiau metel).
   hacksaw blade, llafn (eg) haclif, (ll. llafnau haclif).
   hacksaw frame, ffrâm (eb) haclif, (ll. fframiau haclif).
   adjustable, cymwysadwy.
   straight handle, dolen syth.
haematoma, haematoma (eg); pothell (eb) waed.
haemoglobin, haemoglobin (eg).
haemorrhage, gwaedlif (eg); gwaedlyn (eg).
   haemorrhogic, gwaedlifol (ans).
hair, blewyn (eg), (ll. blew).
   hair follicle, ffoligl (eg) blewyn.
half-bred, hanner brid.
hammer, morthwyl (eg), -ion; mwrthwl (eg), (ll. myrthylau); morthwylio (be).
   hammer parts, rhannau morthwyl.
   eye, crau.
   handle/shaft, coes.
   head, pen.
   pane (peine, pene), wyneb (crwn, croes, syth).
   wedge, lletem.
   claw-hammer, morthwyl crafanc.
   sledge-hammer, gordd, (ll. gyrdd).
hand-drill, dril (eg) llaw, (ll. driliau llaw).
handbook, llàwlyfr (eg), -au.
hand tools, offer/arfau llaw (ell).
handle, carn (eg), -au; coes (eb), -au; dolen (eb), -ni, -nau; dwrn (eg), (ll. dyrnau); handlen (eb), -ni; trin (be); trafod (be).
handpiece, y llaw-ddarn (eg).
hardcore, craidd (eg) caled.
harden/stiffen, ymgaledu (be).
hardiest trees, coed gwytnaf (ell).
hardiness, caledwch (eg).
hare-lip, bylchfin (eg).
harmful (bacteria), (bacteria) niweidiol (ans).
harmless, diogel (ans); diberygl (ans).
harness, harnais (eg), (ll. harneisiau).
   ram harness, harnais maharen/hwrdd.
harrow, llyfnu (be); ogedu (be); og (eb), -au; oged (eb), -i, -au.
   chain harrow, og gadwyni; og sieini.
   disc harrow, og ddisgiau.
   heavy harrow, og drom.
   spike harrow, og bigau.

spring tine harrow, og dannedd sbring.
hasp and staple, hasb a stwffwl (eg), (ll. hasbiau a styffylau); bachyn a staplan (eg), (ll. bachau a staplau).
hatch, deoriad (eg); nythaid (eb); deor(i) (be); gori (be).
    hatchery, deorfa (eb), (ll. deorfeydd).
hatchet, bwyell (eb), (ll. bwyeill).
haulage, cludiad (eg), -au; cludiant (eg), (ll. cludiannau).
    haulage contractor, cariwr (eg), (ll. carwyr); cludwr (eg), (ll. cludwyr).
haulm, gwlyddyn (eg), (ll. gwlydd); gwrysg (ell).
hay, gwair (eg), (ll. gweiriau).
    hay infusion, trwyth (eg) gwair.
haze, tawch (eg).
    heat haze, tes (eg); tawch (eg).
head, pen (eg), -nau.
    heading date, dyddiad blodeuo.
headland, talar (egb), -au; pentir (eg), -oedd.
headwall, penfur (eg), -iau.
health, iechyd (eg).
hear, clywed (be).
    hearing, clyw (eg).
heart, calon (eb), -nau.
    heartbeat/heart rate, curiad (eg) y galon.
    heart rate, cyfradd (egb) y galon.
    heart rot, calon bydredd (eb).
heartland, perfeddwlad (eg).
heartwood, rhuddin (eg).
heat, gwres (eg); cynhesu (be); gwresogi (be); twymo (be).
    heat stroke, trawiad (eg) gwres/tes; ergyd (eb) gwres/tes.
    on heat, (am anifail) gwres ar (am ast); (gast yn) cwna; gwasod (am fuwch, etc.); (buwch yn) gofyn tarw.
    heater, gwresogydd (eg), -ion.
    heatwave, tonwres (eb); tonnau gwres (ell).
heath, rhos (eb), -ydd.
    heathland, rhostir (eg), -oedd.
heavy duty, trymlwyth (ans).
hectare, hectar (eg), -au.
heelstone, carreg sawdl (eb).
hefting ability, gallu cadw at gynefin.
heifer, heffer (eb), (ll. heffrod); anner (eb), (ll. aneirod); treisiad (eb), (ll. treisiedi).
    heifer calf, llo (eg) benyw.
    heifer in calf, heffer gyflo.
    heifer in milk, heffer flith.
    maiden heifer, heffer heb gael tarw; heffer wyryf.
height, taldra (eg); uchder (eg); uchdwr (eg).

hemlock, cegid; cegr pumbys; hemlog.

hen, iâr (eb), (ll. ieir).

hepatic, hepatig (ans); afuol (ans).

    hepatic portal vein, gwythïen (eb) bortal/borthol hepatig.

    hepatitis, hepatitis (eg); llid (eg) yr afu/iau.

herb, pêr-lysieuyn (eg), (ll. pêr-lysiau); llysieuyn (eg), (ll. llysiau).

    herbaceous, llysieuol (ans).

    herbage seeds, hadau glaswellt (ell).

    herbicide, chwynleiddiad (eg), (ll. chwynleiddiaid).

    herbivorous, llysysol (ans).

herd, buches (eb), -i; gyr (eg), -roedd.

    herd book, llyfr (eg) achau.

    herding, bugeilio (be).

    herdsman, bugail (eg), (ll. bugeiliaid); heusor (eg); buchesofalwr (eg).

    dairy herd, buches odro.

heredity, etifeddol (ans); etifeddeg (eb).

    hereditary, etifeddol (ans).

    hereditability, etifeddolrwydd (eg).

Hereford disease, clefyd (eg) Henffordd.

hermaphrodite, deurywyn (eg); gwrfenyw (eg); hermaffrodit (eg); hermaffrodit (ans).

    hermaphroditic, deurywiol (ans).

hernia, torgest (eb); torllengig (eg); hernia (eg).

herringbone pattern, patrwm (eg) saethben.

heterogenous, heterogenaidd (ans); anghydryw (ans).

high carbon steel, dur (eg) carbon uchel.

highly specialised, tra arbenigol (ans).

high pressure, gwasgedd (eg) uchel, (ll. gwasgeddau uchel).

hill, bryn (eg), -iau.

    hill country, bryndir (eg).

    hillock, bryncyn (eg), -nau.

    hilly, bryniog (ans).

hilum, hadgrwth (eb).

hind, ôl.

    hind leg, ôl-goes (eb), (ll. ôl-goesau); coes ôl, (ll. coesau ôl).

hinge, colfach (eg), -au; colfachu (be).

    hinge joint, cymal (eg) colfach.

hinterland (backland), cefnwlad (eb), (ll. cefnwledydd).

hip, clun (eb), -iau.

    hip joint, asgwrn (eg) y glun, (ll. esgyrn y glun); cymal (eg) y glun.

hire, hurio (be); llogi (be).

    hire-purchase, hur-bwrcasu (be); hur-brynu (be); prynu'n ysgafn (be).

hoar frost, barrug (eg), -au, -oedd; llwydrew (eg), -ogydd.

hock, gar (egb), -rau.

hoe, hofio (be).

hog, mochyn (eg), (ll. moch).

hogg/hogget, hesbin (egb), -od.

holding, daliad (eg), -au.

    small holding, mân ddaliad (eg), -au.

homegrown vegetables, llysiau cartref (ell).

Home Grown Cereals Authority, Awdurdod (eg) Ydau Cartref.

homogenous, homogenaidd (ans); cydryw (ans).

hone, hôn (eg), (ll. honau); carreg (eb) hogi/awchu/finio, (ll. cerrig hogi/awchu/minio); hogi (be); awchu (be); minio (be).

honing guide, tywyswr (eg) hogi.

hook, bach(yn) (eg), (ll. bachau).

    hook and bolt, bach a bollt, (ll. bachau a byllt).

hopper, hopran (eb); daliwr (eg); bin (eg); cynhwysydd (eg), (ll. cynwysyddion).

hops, hopys (ell).

horizontal, llorwedd(ol) (ans).

hormone, hormon (eg), -au.

    hormonal, hormonaidd (ans).

    steroid hormones, hormonau steroid (ell).

horn, corn (eg), (ll. cyrn).

horsetail, rhawn y march.

horticulture, garddwriaeth (eb); garddeg (eb).

horse, ceffyl (eg), -au.

    horse shoe, pedol (eb) ceffyl, (ll. pedolau ceffylau).

horsepower (HP), marchnerth (MN).

hose pipe, piben (eb) ddŵr rwber; pibell (eb) ddŵr.

host, cyfrwng (eg) lletyol, (ll. cyfryngau lletyol).

    host (organism), (organeb) letyol (ans).

    host cell, cell (eb) letyol.

house, tŷ (eg), (ll. tai).

    house (to), aneddu (be).

    housing, gwâl (eb), (ll. gwalau); rhigol (eb), -au.

    battery house, tŷ batri.

    chitting house, tŷ egino.

    deep litter house, tŷ gwasarn.

    dry sow house, cut/cwt (eg) hwch sych.

    farrowing house, cut/cwt geni moch bach.

    intensive house, sied (eb) ddirddwys.

    sow stall house, cut/cwt corau hychod.

    weaner house, cut/cwt perchyll.

hovel, hofel (eb), -au; hoewal (eb), -au.

hub, both (eg), -au.

humid, llaith (ans).

    humidity, lleithedd (eg); lleithder (eg).

    absolute humidity, lleithder absoliwt.

relative humidity, lleithder cymharol.

humification, llufadredd (eg).

humus, hwmws (eg); llufadron (eg); deilbridd (eg).

hundredweight, cant (o bwysau); canpwys (eg).

hurricane, corwynt (eg), -oedd.

husbandry, hwsmonaeth (eb).

husk, hach (eg).

hybrid, croesryw (ans); croesryw (eg), -iau; hybrid (ans); hybrid (eg).

hybrid vigour, ymnerth (eg) croesryw; ymnerth hybrid.

hybridisation, croesrywedd (eg).

hydrate, hydrad (eg), -au; hydradu (be).

hydrated/hydration, hydradol (ans).

hydration, hydradiad (eg).

hydro, hydro.

hydrochloric acid, asid (eg) hydroclorig.

hydrogen (H), hydrogen (H) (eg).

hydrogenate, hydrogenu (be).

hydrogenated, hydrogenaidd (ans).

hydrogenation, hydrogeniad (eg).

hydraulic, hydrolig (ans); hydrawlig (ans).

hydraulic control, rheolydd (eg) hydrolig, (ll. rheolyddion hydrolig).

hydrology, hydroleg (egb).

hydrometer, hydromedr (eg), -au.

hydrophilic, hydroffilig (ans).

hygiene,   1. hylendid (eg).

                2. iechydeg (eb).

hygenic, hylan (ans).

hygrometer, hygromedr, (eg), -au.

hygroscropic, hygrosgropig (ans).

hyper - , hyper - ; gor - .

hypha, hyffa (eg), -e.

hypo - , hypo - ; tan - .

hypocalcaemia (lambing sickness), hypocalcaemia (eg) (salwch ŵyna); clwy'r llaeth (eg).

hypodermic, tangroenol (ans); hypodermig (ans).

hypocuprosis, hypocuprosis (eg).

hypomagnasaemia, clwy'r borfa (eg); hypomagnasaemia (eg).

I

ice, rhew (eg); iâ (eg).

    ice-bound, rhewgaeth (ans).

    ice-shattered, rhewddrylliog (ans).

icicle, pibonwyen (eb), (ll. pibonwy).

identical (twins), (gefeilliaid) unfath (ans); (gefeilliaid) unwy (ans).

    identification, arenwad (eg), -au; arganfyddiad (eg), -au; adnabyddiaeth (eb); adnabod (be).

    identify, enwi (be); arenwi (be); arganfod (be); dynodi (be); adnabod (be).

idler wheels, olwynion cyswllt (ell).

    idling speed, sbîd (eg) segura; buanedd (eg) segura.

igneous rock, craig (eb) igneaidd, (ll. creigiau igneaidd).

ignite, tanio (be); cynnau (be).

    ignition, taniad (eg), -au; cyneuad (eg), -au.

    ignition system, system (eb) daniad, (ll. systemau taniad).

illustrate, darlunio (be).

imbalance, anghydbwysedd (eg).

imbed, plannu (be).

immerse, trochi (be).

    immersion, trochiad (eg), -au.

immune, imwn (ans); heintrydd (ans).

    immunisation, imiwneiddiad (eg); heintryddiad (eg).

    immunise, imwneiddio (be); heintryddio (be).

    immunity, imwnedd (eg); heintryddid (eg).

    immunology, imwnoleg (eg).

    acquired immunity, imwnedd caffael; heintryddid caffael; imwnedd datblyg; heintryddid datblyg.

    active immunity, imwnedd gweithredol; heintryddid gweithredol.

    natural immunity, imwnedd naturiol; heintryddid naturiol; imwnedd cynhenid; heintryddid cynhenid.

    passive immunity, imwnedd goddefol; heintryddid goddefol.

immunoglobulin, imiwnoglobwlin (eg), -au.

impeller, cymhellwr (eg), (ll. cymhellwyr).

impermeable, anathraidd (ans).

impervious, anhydraidd (ans).

implant, mewnblannu (be); mewnosod (be).

    implant a cell in the placenta, mewnblannu cell yn y brych.

import, mewnforyn (eg), (ll. mewnforion); mewnforio (be).

    import duty, toll (eg) mewnforio.

    import levies, toll (eb) mewnforio, (ll. tollau mewnforio).

    import quota, dyraniad (eg) mewnforio.

impound, powndio (be).

impregnate, ymrain (be); ymreinio (be).

impregnation, ymreiniad (eg), -au; ymread (eg), -au.

improved land, tir (eg) wedi ei wella.

Improved Contemporary Comparison, Cymhariaeth (eb) Gyfoes Well.

impulse (nervous), 1. ysgogiad (eg), -au; 2. cymhelliad (eg), -au.

impure, amhur (ans).

> **impurity,** amhuredd (eg), -au.

inaccuracy, anghywirdeb (eg), -au.

> **inaccurate,** gwallus (ans).

inborn, cynhenid (ans).

inbreed, mewnfridio (be).

in-bye, ffridd (eb), -oedd; ffrith (eb), -oedd.

> **in-ear,** hodi (be).
>
> **in hand,** mewn llaw; ar y gweill.
>
> **in calf,** cyflo (ans).
>
> **in heat,** (buwch) wasod; (hwch) lodig; (caseg) wynad; (dafad) yn rhydio.

incentive, cymhelliad (eg), -au.

> **incentive payments,** taliadau cymhellol (ell).

inch, modfedd (eb), -i.

incidence of rainfall, digwydd (eg) glawiad.

incise, endorri (be).

> **incision,** endoriad (eg), -au.
>
> **incisional,** endoriadol (ans).
>
> **incisor,** blaenddant (eg), (ll. blaenddannedd); dant (eg) llygad, (ll. dannedd llygad).

income, incwm (eg), (ll. incymau); cyllid (eg), -au.

> **income in kind,** incwm alaf.
>
> **income tax,** treth (eb) incwm.
>
> **earned income,** incwm gwaith.
>
> **gross income,** incwm crynswth.
>
> **net income,** incwm clir.
>
> **real income,** incwm real; gwir incwm.
>
> **unearned income,** incwm eiddo; incwm meddiannau.

incoordination, diffyg (eg) cydweithio; anghydweithio (be); anghydgordio (be); anghydgordiad (eg).

increase, cynnydd (eg), (ll. cynyddion); cynyddu (be).

incubation, deoriad (eg).

> **incubation period,** cyfnod (eg) deori.
>
> **incubator,** deorydd (eg), -ion; deoriadur (eg), -on.

indemnify, digolledu (be).

> **indemnity,** iawndal (eg), -oedd.

indentation, danheddiad (eg), (ll. daneddiadau).

> **indented,** danheddus (ans).
>
> **unindented,** annanheddus (ans).

index, mynegai (eg), (ll. mynegeion); mynegrif (eg), -au; indecs (eg), -au.

> **calving index,** mynegai bwrw llo; mynegrif bwrw llo; indecs bwrw llo.

Indian Summer, Haf Bach Mihangel (eg).

indicator, dangosydd (eg), -ion.

    Universal indicator, dangosydd pH.

indigenous, cysefin (ans); brodorol (ans); cynhenid (ans).

indigestible, anhydraul (ans); anhreuliadwy (ans).

    indigestion, camdreuliad (eg); diffyg (eg) traul.

indoor, i mewn (ans); dan do (ans).

    indoors, i mewn (ans), dan do (ans).

induction, anwythiad (eg).

    induce,   1. anwytho (be).

                2. peri (be).

    induction stroke, strôc (eb) anwythiad, (ll. strociau anwythiad).

industry, diwydiant (eg), (ll. diwydiannau).

    declining industry, diwydiant dirywiol.

    minor industry, mân ddiwydiant.

infect, heintio (be).

    infected, heintiedig (ans).

    infection, haint (eb), (ll. heintiau); heintiad (eg), -au.

    infectious, heintus (ans).

    open to infection, agored i heintiad; y gellir ei heintio.

inferior (Anat.), isaf (ans).

    inferior vena cava, y wythïen (eb) fawr isaf; y brif is-wythïen.

infertile, anffrwythlon (ans).

    infertility, anffrwythlonedd (eg); di-epiledd (eg); anffrwythlondeb (eg).

infestation, heigiad (eg), -au.

    infested, heigiog (ans).

    infesting, heigiol (ans).

infilling, mewnlenwad, -au.

inflammable, hyfflam (ans).

    inflammable liquid, hylif (eg) hyfflam, (ll. hylifau hyfflam).

    inflammable vapour, anwedd (eg) hyfflam, (ll. anweddau hyfflam).

inflammation, llid (eg), -iau; fflameg (eb).

    inflamed, llidus (ans).

inflate, chwyddo (be); chwythu (be).

    inflation, chwyddiant (eg).

    inflationary, chwyddol (ans).

inflexible, anhyblyg (ans).

    inflexibility, anhyblygedd (eg).

information, gwybodaeth (eb).

infra-red, isgoch (ans).

infrastructure, seilwaith (eg).

infuse, trwytho (be).

    infusion, trwyth (eg), -ion; trwythiad (eg), -au.

ingest, amlyncu (be); safnu (be).

inhalation, mewnanadliad (eg), -au.

inhale, mewnanadlu (be); anadlu i mewn.

inheritance (of characteristics), etifeddiad (eg) (nodweddion).

additive inheritance, etifeddiad (eg) adiol.

dominant inheritance, etifeddiad trech.

inhibitor, atalydd (eg), -ion.

initial dose, dogn (eb) ddechreuol.

inject, chwistrellu (be); pigo (be); mewnsaethu (be); pigiadu (be).

injection, chwistrelliad (eg), -au; pigiad (eg), -au.

injector, mewnsaethwr (eg), (ll. mewnsaethwyr).

booster injection, chwistrelliad/pigiad atgyfnerthu.

fuel injectors, mewnsaethwyr tanwydd.

injurious, niweidiol (ans).

injury, niwed (eg), (ll. niweidiau); anaf (eg), -iadau.

in-lamb, cyfoen (ans) - e.e., dafad gyfoen.

in-foal, cyfeb (ans) - e.e., caseg gyfeb.

in-calf, cyflo (ans) - e.e., buwch gyflo.

in-milk, yn godro.

in-pig, torrog (ans) - e.e., hwch dorrog.

inland, mewndirol (ans).

inland revenue, cyllid (eg) gwladol.

inlet, mewnfa (eb), (ll. mewnfeydd).

inlet manifold, maniffold (eg) y fewnfa.

in-line, mewn llinell (ans).

inoculate, brechu (be).

inoculation, brechiad (eg), -au.

inorganic, anorganig (ans).

input, mewngyrch (eg).

input-output, mewngyrch-allgyrch.

input (systems), mewnbwn (eg), (ll. mewnbynnau).

output (systems), allbwn (eg), (ll. allbynnau).

insect, pryf(yn) (eg), (ll. pryfed).

insect bite, pigiad (eg) pry(f), (ll. pigiadau pryfed).

insecticide, pryfleiddiad (eg), (ll. pryfleiddiaid).

contact insecticide, pryfleiddiad cyswllt; pryfleiddiad cyffwrdd.

systemic insecticide, pryfleiddiad hollgorfforol.

inseminate, semenu (be); enhadu (be).

insemination, semeniad (eg), -au; enhadiad (eg), -au.

insert, mewnosod (be).

insoluble, anhydawdd (ans).

insolubility, anhydoddedd (eg).

insolvency, methdaliad (eg), -au.

inspect, archwilio (be).

inspection, archwiliad (eg), -au.

inspire, mewnanadlu (be); anadlu i mewn (be).

    inspiration, mewnanadliad (eg), -au.

    inspired air, aer mewnanadledig.

instability, ansadrwydd (eg).

installation, darpariaeth (eb), -au; darparu (be).

instalment, rhandal (eg), -iadau.

instruction, cyfarwyddyd (eg), (ll. cyfarwyddiadau); hyfforddiant (eg).

instrument, offeryn (eg), -nau; offer (ell).

    instrumentation, offeryniaeth (eg), -au.

    precision instruments, offerynnau tra-chywir (ell).

insulate, ynysu (be).

    insulation, ynysiad (eg), -au.

    insulator, ynysydd (eg), -ion.

insulin, inswlin (eg).

insurance, yswiriant (eg), (ll. yswiriannau).

    life insurance, yswiriant bywyd.

    National Insurance, Yswiriant Gwladol.

    insurance policy, polisi (eg) yswiriant, (ll. polisïau yswiriant).

intake (land), ffridd (eb), -oedd.

    (flow), mewnlif (eg), -oedd.

    (of food), cymeriant (eg).

integrate, integru (be); cyfannu (be).

    integrated, cyfannol (ans); integredig (ans).

    integration, cyfaniad (eg); integreiddiad (eg); integriad (eg), -au; cyfuniad (eg), -au; cyfannu (be).

intensity, arddwysedd (eg), -au.

    intensive, arddwys (ans).

    intensive (farming), (ffermio/ffarmio) arddwys.

interact, rhyngweithio (be).

    interaction, rhyngweithiad (eg), -au.

interbreed, rhyngfridio (be).

intercellular, rhyng-gellol (ans).

intercostal, rhyngasennol (ans).

interest, llog (eg), -au.

    accured interest, llog cronedig.

    compound interest, adlog.

    fixed interest, llog penodedig.

    interest rate, cyfradd llog.

    simple interest, llog syml.

    true rate of interest, gwir gyfradd llog.

interim, cyfamser (eg).

    interim payments, taliadau cyfamser (ell).

interior, mewndir (eg), y tu mewn (adf).

internal (Anat.), mewnol (ans).

internal-combustion engine, peiriant (eg) tanio mewnol, (ll. peiriannau tanio mewnol); injan (eb) danio fewnol, (ll. injans tanio mewnol).

internal force feed, ffidio grym mewnol.

international units, unedau rhyngwladol (ell).

internode, internod (eg), -au.

internodal, rhyngnodol (ans).

interval, cyfwng (eg), (ll. cyfyngau).

intervention, ymyriad (eg), -au.

Intervention Board for Agricultural Produce, Bwrdd Ymyriad dros Gynnyrch Amaethyddol.

intestinal, perfeddol (ans); coluddol (ans).

intestine, perfeddyn (eg), (ll. perfeddion); coluddyn (eg), (ll. coluddion).

large intestine, perfeddyn/coluddyn (eg) mawr.

small intestine, perfeddyn/coluddyn (eg) bach.

intra -, mewn - .

intracellular, mewngellol (ans).

intravenous, mewnwythiennol (ans).

inventory, stocrestr (eg), -au.

inversion, gwrthdroad (eg), -au.

invert, gwrthdroi (be).

inverted, gwrthdroëdig (ans); gwrthdro (ans); â'i ben i lawr (ans).

invest, buddsoddi (be).

investment, buddsoddiad (eg), -au; buddsoddiant (eg), (ll. buddsoddiannau).

involuntary, anwirfoddol (ans).

involuntary action, gweithred (eb) anwirfoddol.

iodin (I), iodin (I) (eg).

ion, ïon (eg), -au.

ionise, ïoneiddio (be).

ionisation, ïoneiddiad (eg).

iron, haearn (eg).

angle-iron, haearn ongl.

cast iron, haearn bwrw (eg).

corrugated iron, haearn rhychiog.

galvanized iron, haearn zinc; haearn galfanedig.

hot iron, haearn (eg) poeth.

malleable iron, haearn hydrin.

pig iron, haearn crai.

scrap iron, haearn sgrap; sborion haearn.

wrought iron, haearn gyr.

irradiation, arbelydriad (eg).

irradiate, arbelydru (be).

irrigate, dyfrhau (be).

irrigated, dyfredig (ans).

irrigation, dyfrhad (eg).

irrigation ditches, ffosydd dyfrhau (ell).

irritation, cosi llidiog/poenus (eg); enynfa (eb).

isobar, isobar (eg), -rau.

isolate (a chemical), ynysu (be); (bacteriol) arunigo (be); (epidemiol) arwahanu (be); (bact.) ynysiad (eg).

isolation, (bacteriol) ynysiad (eg), -au; arwahaniad (eg), -au.

itch, cosi (be).

item, eitem (eb), -au.

ivy, eiddew (eg); iorwg (eg); eiddiorwg (eg).

J

jack, jac (eg), -iau; jacio (be).

jaw, safn (eb), -au; gên (eb), (ll. genau); cern (eb), -au; genol (ans).

    vice jaws, safnau feis (ell).

    double jaw, safn ddwbl.

jejenum, y coluddyn (eg) gwag; jejenwm (eg).

jet, ffrwd (eb), (ll. ffrydiau); chwythell (eb), -i; jet (eg), -iau.

Johne's Disease, Clefyd (eg) Johne.

join, cysylltu (be); uno (be).

    joint, cymal (eg), -au; breg (eg), -ion; uniad (eg), -au.

    joint ill, clwy'r cymalau (eg); haint (eg) yr ebolion.

    joint (of meat), darn (eg) o gig; toriad (eg) o gig.

    jointed, bregog (ans); cymalog (ans).

    ball and socket joint, cymal pelen a chrau.

    hinge joint, cymal colfach.

    moveable joint, cymal symudol.

    pivot joint, cymal pifod.

    synovial joint, cymal synofaidd.

joule (J), joule (eg), -au.

jugular vein, gwythïen (eb) y gwddf.

juice, sudd (eg), -ion.

    digestive juices, suddion treulio.

    gastric juices, suddion gastrig.

junction, cysylltle (eg), -oedd.

K

kale, cêl (ell).

keds, llau defaid (ell).

kemp, saethflew (ell).

kernel, cnewyllyn (eg), (ll. cnewyll).

kerosene, cerosîn (eg).

kidney, aren (eb), -au; elwlen (be), (ll. elwlod).

    renal, arennol (ans).

kill out, lladd allan (be).

kilo, kilo (eg).

    kilogram(me), kilogram (eg), -au.

king pin, prif-golyn (eg), -nau, -nod.

knee, pen-glin (eb), -iau.

    knee-joint, cymal (eg) y pen-glin.

knife, cyllell (eb), (ll. cyllyll).

    ram knife, cyllell yr hyrddwr.

    sharp knife, cyllell finiog/awchlym.

    stationary knife, cyllell sefydlog.

knob, cnap (eg), -iau; bwlyn (eg), (ll. bwliau); dwrn (eg), (ll. dyrnau, dyrn); nobyn (eg), (ll. nobiau).

knot, cwlwm (eg), (ll. clymau); clwm (eg), (ll. clymau); clymu (be); rhwymo (be).

knotgrass, canclwm; berw'r ieir.

knotter, clymwr (eg), (ll. clymwyr).

kohlrabi, colrabi (eg).

L

label, label (eb), -i -au; labelu (be).
labour, llafur (eg).
  labour force, llafurlu (eg).
  skilled labour, llafur hyfedr.
  unskilled labour, llafur anhyfedr.
laceration, cymriwiad (eg), -au.
lactase, lactas (eg).
lactation, llaethiad (eg), -au.
  lactation curve, cromlin (eb) laetha.
  lactation period, cyfnod (eg) llaetha.
  lactational, llaethiadol (ans).
  lactic acid, asid (eg) lactig.
  lactogenic hormone, hormon (eg) lactogenaidd; hormon llaethogol.
  lactose, lactos (eg).
ladybird, buwch goch gota (eb), (ll. buchod coch cwta).
lagging, ynysydd (eg), -ion.
lagoon, lagŵn (egb), (ll. lagwnau).
lairage, lloc (eg), -iau.
lake, llyn (eg), -noedd.
lamb, oen (eg), (ll. ŵyn); ŵyna (be); oena (be); dod ag oen (be); bwrw oen (be).
  lamb (meat), cig (eg) oen.
  lamb dysentery, disentri'r ŵyn (eg); dysenteri'r ŵyn (eg); ysgothi gwaed (be).
  lambing percentage, cyfartaledd (eg) ŵyna; canran ŵyna.
lamina, llafn deilen (eg).
laminitis, laminitis (eg); llid (eg) llafniog.
land, tir (eg), -oedd.
  landbreeze, awel (eb) o'r tir, (ll. awelon o'r tir).
  landlord, perchennog (eg) tir, (ll. perchenogion tir).
  landscape, tirlun (eg), -iau.
  landslide/landslip, tirlithriad (eg), -au.
  land use, defnydd (eg) tir, (ll. defnyddiau tir).
  Land Use Survey, Arolwg (eg) Defnydd Tir (ADT).
  landward, atir (ans).
  heavy land, tir trwm.
  light land, tir ysgafn.
laparotomy, laparotomi (eg).
larch, llarwydden (eb), (ll. llarwydd).
  larch posts, pyst (ell) llarwydd; polion (ell) llarwydd.
large intestine, perfeddyn/coluddyn (eg) mawr.
larva, larfa (eg), (ll. larfâu).
larynx, beudag (eb); laryncs (eg).
late maturity, aeddfedrwydd (eg) diweddar.

lateral, ochrol (ans).

    lateral bud, blaguryn (eg) ochrol.

    lateral dominance, trechedd (eb) ochrol.

    laterals, pibau ochrol (ell); pibelli ochrol (ell).

lathe, turn (eg), -iau.

lather, trochion (ell); seboni (be).

laxative, carthydd (eg), -ion; carthlyn (eg), -nau.

layer, haen (eb), -au; haenen (eb), (ll. haenau).

layout, llunwedd (egb), -au; cynllun (eg), -iau.

leaching, trwytholchi (be); trwytholchiad (eg), -au.

lead (wire), lîd (eg), (ll. lidiau).

lead (Pb), plwm (eg).

leaf, deilen (eb), (ll. dail).

    leaflet, deiliosen (eg), (ll. deilios).

    leaf roll, deilen (eb) rhol; rhol (eg) ddeilen.

    leaf scar, deilgraith (eb), (ll. deilgreithiau).

    leaf spot (glume blotch), septoria (eg).

    leafy, deiliog (ans).

    leafy shoot, brigyn (eg) deiliog, (ll. brigau deiliog).

    broad-leaved, llydan-ddeiliog (ans).

    compound leaf, deilen gyfansawdd.

    narrow-leaved, cul-ddeiliog (ans).

lean-to, eil (eg), -iau; to (eg) un-codiad.

lease, prydles (eb), -i, -au.

    leaseholder, prydleswr (eg), (ll. prydleswyr).

leather-jacket, cynrhonyn (eg) lledr, (ll. cynrhon lledr).

leech, gelen (eb), (ll. gelod).

leeward side, ochr (eb) gysgodol, (ll. ochrau cysgodol).

    windward side, ochr atwynt.

leg, coes, -au.

legislation, deddfwriaeth (eb), -au.

    primary legislation, deddfwriaeth sylfaenol.

    secondary legislation, deddfwriaeth eilaidd; ail ddeddfwriaeth.

legume, codlys (eg), -iau; legwm (eg), -au; ciblys (ell).

    leguminous, codlysol (ans).

leptospirosis, leptospirosis (eg).

lesion, nam (eg), -au.

lethal, marwol (ans).

    lethal gene, genyn (eg) marwol.

level, gwastad (eg), -au; lefel (eb), -au; gwastatáu (be); lefelu (be).

lever, lifer (eg), -i; trosol (eg), -ion.

    lever bar, trosolfar (eg), -au.

    leverage, trosoledd (eg), -au; trosoliad (eg), -au.

    hand lever, lifer llaw.

priming lever, lifer preimio.

levy, ardoll (eb), -au; treth (eb), -i.

    capital levy, ardoll cyfalaf.

    co-responsibility levy, ardoll cydgyfrifoldeb.

ley, tir (eg) glas; gwndwn (eg); hadfaes (eg).

liability, rhwymedigaeth (eb), -au; cyfrifoldeb (eg), -au.

    personal liability, cyfrifoldeb personol.

lice, lleuen (eb), (ll. llau).

licence, trwydded (eb), -au.

lichen, cen (eg), -nau.

life cycle, cylchred (eb) bywyd; rhod (eb) bywyd.

    life expectation, disgwyliad (eg) oes.

    life span, hyd (eg) oes; rhychwant (eg) oes.

ligament, gewyn (eg), -nau; giewyn (eg), (ll. gïau).

    ligamentous, gewynnol (ans).

ligature, cwlwm (eg), (ll. clymau); pwythyn (eg) -nau.

light, golau (eg); goleuni (eg).

    sunlight, golau'r haul; goleuni'r haul.

lignin, lignin (eg).

limb, coes (eb), -au; aelod (eg), -au.

lime, calch (eg).

    lime deficiency, prinder (eg) calch.

    lime deficient, prin o galch (ans).

    limepan, cletir (eg) calch, (ll. cletiroedd calch).

    limestone, calchfaen (eg), (ll. calchfeini); carreg (eb) galch, (ll. cerrig calch).

    burnt/quick lime, calch llosg/brwd/poeth.

    ground limestoned chalk, carreg (eb) galch; sialc (eg) mâl.

    hydrated lime, calch hydradol.

    magnesian limestone, calchfaen (eg) magnesaidd; carreg galch magnesaidd.

    quick lime, calch brwd.

    slaked lime, calch tawdd.

limitation, cyfyngiad (eg), -au.

    limit of cultivation, terfyn (eg) triniad.

limp, cloffni (eg).

    limping, cloff (ans).

liner, llinellen (eb), -au.

liniment, eneilyn (eg), -au; liniment (eg), -iau; oel (eg), -iau.

lining, leinin (eg), -au; llen (eb) fewnol, (ll. llenni mewnol).

link, dolen (eb), -nau; cyswllt (eg), (ll. cysylltau); dolennu (be); cysylltu (be).

    linkage, cysylltydd (eg), -ion.

    three point linkage, cysylltedd (eg) tri phwynt.

linseed, had llin (ell).

    linseed oil, oel had llin.

lip (of animal), gwefl (eb), -au; gwefus (eb), -au.

lipogenesis, lipogenesis (eg).

liquid, hylif (eg), -au.

　liquidity, hylifedd (eg).

liquified, hylifedig (ans).

　liquify, hylifo (be).

litre, litr (eg), -au.

litter (of pigs), tor (eg) o foch; torllwyth (eg) o foch; torraid (eg) o foch; ael (eb).

　deep litter, gwasarn (eg).

live, byw (ans); byw (be).

　live-born, byw-anedig (ans).

　livestock, da byw (e.torf).

　livestock farming, ffermio/ffarmio da byw (stoc).

　livestock unit (LSU), uned (eb) dda byw (UDB).

　liveweight, pwysau byw (ell).

　liveweight gain, cynnydd (eg) pwysau byw.

live wire, gwifren (eb) fyw, (ll. gwifrau byw).

liver, iau (eg), (ll. ieuau); afu (eg), -oedd.

　liver fluke (disease), clefyd (eg) yr euod; ffliwc (eg); braenedd (eg).

　liver fluke (organism), llyngyren (eb) yr iau/afu; euodyn (eg); yr euod (eg).

　liverwort, llys (eg) yr iau/afu.

living, bywiol (ans).

　living cell, cell (eb) fywiol.

load, llwyth (eg), -i; llwytho (be).

　loader, llwythwr (eg), (ll. llwythwyr).

　fore-end/front end loader, llwythwr pen-blaen.

　rear end/rear mounted loader, llwythwr pen-ôl.

loafing area, lle (eg) sefyllian.

　loafing yard, lloc (eg) cadw, (ll. llociau cadw).

loam, lôm (eg), (ll. lomau); marl (eg).

loan, benthyciad (eg), -au; benthyg (eg), (ll. benthycion).

　break loan, torfenthyciad.

lobe, llabed (eb), -au.

　lobed, llabedog (ans).

　multi-lobed, aml-labedog (ans).

　lobule, llabeden, (eb), -nau.

locking devices, dyfeisiau cloi (ell).

　castle nut, nyten (eb) gastell.

　lock nut, nyten glo.

　spring washer, wasier (eb) sbring.

locomotion, ymsymudiad (eg), -au.

lodging, gorwedd (be).

loin, ystlys (eb), -au; lwyn (egb), -au.

loose, llac (ans).

　loose body, corffyn (eg) rhydd.

loose rivet, rhybed (eg) llac.

loosen, rhyddhau (be); gollwng (be).

lop, tocio (be).

loss, colled (eb), -ion.

    net loss, gwir golled; colled net.

    gross loss, colled grynswth.

lotion, golchdrwyth (eg), -au.

louping ill, y breid (eg).

louse, lleuen (eb), (ll. llau).

    louse borne typhus, tyffws llau (eg).

lower jaw, gên isaf (eb); cern (eg), -au.

lowland, iseldir (eg), -oedd; llawr (eg) gwlad.

low-lying plain, gwastadedd (eg) isel, (ll. gwastadeddau isel).

low pressure, gwasgedd (eg) isel, (ll. gwasgeddau isel).

lubricant, iriad (eg), (ll. ireidiau); llithrigydd (eg), -ion.

    lubricate, iro (be).

    lubrication (act of), ireiddiad (eg), -au; iriad (eg), -au.

lucerne, lwsern (eg); maglys (eg).

lukewarm, claear (ans).

lump, lwmp/lwmpyn (eg), (ll. lympiau).

    lump sum, talpswm (eg).

lunar month, lloerfis (eb), -oedd; mis (eg) lleuad, (ll. misoedd lleuad).

lung, ysgyfant (eg), (ll. ysgyfaint).

    lung capacity, cynhwysedd (eg) yr ysgyfaint.

    farmer's lung, mygfa'r/mogfa'r ffermwr (eb).

    lungworm, llyngyr (ell) yr ysgyfaint.

lush, toreithiog (ans).

luteal cells, celloedd lwteal; celloedd melynaidd.

    lwtein, lwtein (eg).

    luteinising, lwteineiddio (be).

    luteinising hormon, hormon lwteineiddio (eg).

lyme grass, clymwellt (ell).

lymph, lymff (eg).

    lymph duct/vessel, pibell (eb) lymff; dwythell (eb) lymff.

    lymph gland, chwarren (eb) lymff.

    lymph node, nod (eg) lymff.

    lymphatic, lymffatig (ans).

    lymphatic system, system (eb) lymffatig; cyfundrefn (eb) lymffatig.

    lymphoid, lymffoid (ans).

M

machine, peiriant (eg), (ll. peiriannau).
    machine tools, offer peiriant (ell).
    machinery, peirianwaith (eg).
maggot, cynrhonyn (eg), (ll. cynrhon).
magnesium (Mg), magnesiwm (eg).
magneto, magneto (eg), -eon.
mains, prif gyflenwad (eg), -au.
    main drain, prif ddraen (eb), (ll. prif ddraeniau).
maintenance, arofal (eg), -on; gwaith (eg) cynnal; cynhaliaeth (eb); arofal (eg);
    arofalu (be).
    maintenance (of growth), cynnal twf (be).
maize, India corn (eg); indrawn (eg); corn melys (eg).
    flaked maize, indrawn fflawiog (eg).
male, gwryw (eg), -od; gwrywol (ans).
    maleness, gwrywedd (eg).
malformation (congenital), camffurfiad (eg) cynhenid; camffurfiad (eg) cynenedigol.
malignancy, malaenedd (eg).
    malignant, malaen (ans).
malleability, hydrinedd (eg), -au.
    malleable, hydrin (ans).
mallet, gordd (eb) bren, (ll. gyrdd pren).
malnutrition, camfaethiad (eg), camfaethu (be).
malt, brag (eg), -au.
maltose, maltos (eg).
mammary gland, chwarren (eb) laeth.
    mammillary, tethol (ans); didennol (ans).
management, rheolaeth (eb).
mandible, mandibl (eg); asgwrn yr ên (eg).
manganese (Mn), manganîs (eg).
manifold, maniffold (eg), -au.
    exhaust manifold, maniffold disbyddu.
    inlet manifold, maniffold y fewnfa.
manipulate, llaw-drin (be).
    manipulation, llawdriniad (eg).
manufacture, gweithgynhyrchu (be); gwneuthur (be).
    manufacturer, gwneuthurwr (eg), (ll. gwneuthurwyr).
manure, tom (eb); tail (eg), -iau; teil(i)o (be); achlesu (be).
    manure distributor, chwalwr (eg) gwrtaith.
    artificial manure, gwrtaith (eg) artiffisial.
    farmyard manure, tail y buarth; tom y clos; tom yr iard.
map, map (eg), -iau.
    Ordnance Survey, Map Ordnans.

Land Utilization Map, Map Defnydd Tir.

marbling (fat), marmoriad (eg).

margin, ffin (eb), -iau.

   marginal, ffiniol (ans); ymylol (ans).

   marginal land, tir (eg) ymylol, (ll. tiroedd ymylol).

   gross margin, bras wahaniaeth (eg).

marigold (common), melyn Mair (eg).

mark, marc (eg), -iau; marcio (be).

market, marchnad (eb), -oedd.

   market value, marchnadwerth (eb).

   market gardener, garddwr (eg) masnachol, (ll. garddwyr masnachol); masnach-arddwr (eg), (ll. masnach-arddwyr).

   market gardening, garddio masnachol (be); garddio marchnad (be).

   marketable, gwerthadwy (ans).

   marketing board, bwrdd (eg) marchnata, (ll. byrddau marchnata).

marl, marl (eg), -au; marlog (ans).

marrow, mêr (eg).

marsh, mignen (eb), -ni; cors (eb), -ydd.

mart, marchnad, (eb), -oedd; mart (eg), -au.

massage, tylino (be); tyliniad (eg), -au.

mastication, cnoi (be).

mastitis, y garged (eb); mastitis (eg).

   chronic mastitis, mastitis cronig; mastitis hirfaith.

   clinical mastitis, mastitis clinigol.

   cystic mastitis, mastitis codennog.

   sub-clinical mastitis, mastitis is-glinigol.

maternal, mamol (ans).

mat, mat (eg), -iau.

   asbestos mat, mat asbestos.

matted, matiog (ans).

   matted turf, tywyrch (ell) matiog.

mate, paru (be); cyplysu (be).

   mating instinct, y reddf (eb) baru.

material, defnydd (eg), -iau; deunydd (eg), -iau.

mature, aeddfed (ans); aeddfedu (be).

   mature animal, anifail (eg) llawn dwf; anifail llawn-oed.

   maturity, aeddfedrwydd (eg); llawn oed (ans); llawn dwf (ans).

maximum, uchafrif (eg); uchafswm (eg); uchafbwynt (eg); macsimwm (eg).

   maximise, uchafu (be).

mayweed, milwydd (eg); llygad yr ych (eg); amranwen (eg).

meadow, gweirglodd (eb), -iau; dôl, (eb), (ll. dolydd).

   meadow fescue, peiswellt (ell) gweirglodd.

   water meadow, llifddol (eb), -ydd.

meal, blawd (eg), (ll. blodiau).

bone-meal, blawd esgyrn.

fish-meal, blawd pysgod.

maize germ meal, blawd bywyn indrawn.

mean, cymedr (eg), -au; cymedrig (ans).

mean temperature, tymheredd (eg) cymedrig.

measure, mesur (eg), -au; mesur (be).

meat, cig (eg), -oedd.

Meat and Livestock Commission, Comisiwn (eg) Cig a Da Byw.

lean meat, cig coch.

fatty meat, cig gwyn.

mechanism, mecanwaith (eg); dull (eg), -iau.

mechanical, mecanyddol (ans).

mechanisation, mecaneiddiad (eg).

gear mechanism, mecanwaith gêr.

price mechanism, peirianwaith prisiau (eg).

median, canolrif (eg), -au.

medium, cyfrwng (eg), (ll. cyfryngau).

culture medium, cyfrwng tyfu; cyfrwng meithrin.

growth medium, cyfrwng cynnal twf.

selective culture medium, cyfrwng meithrin detholus.

medulla, medwla (eg); craidd (eg).

medullary, medwlaidd (ans); creiddiol (ans).

megajoule (MJ), megajoule (eg).

meiosis, meiosis (eg).

anaphase, anaffas (eg).

metaphase, metaffas (eg).

prophase, proffas (eg).

melt, toddi (be); ymdoddi (be); ymdoddiant (eg).

dissolve, toddi (be).

membrane, pilen (eb), -nau, -ni.

cell membrane, cellbilen (eb), -ni.

serous membrane, pilen serws.

membranous, pilennol (ans).

merger, cyfuniad (eg), -au.

meristem, meristem (eb), -au.

mesh,   1. rhwydwaith (eg), (ll. rhwydweithiau).

                2. masg (eg), -iau.

wire mesh, rhwydwaith gwifren/weiar.

meso-, meso-, canol (ans).

meta-, meta-; y tu hwnt; heibio.

metabolism, metabolaeth (eb).

metabolic, metabolaidd (ans).

metabolic breakdown, ymddatod (eg) metabolaidd.

metabolic disorders, anhwylderau metabolaidd (ell).

metabolisable energy, egni (eg) metaboladwy.

metabolize, metaboleiddio (be).

metal, metel (eg), -au.

    non-metals, anfetelau (egll).

    metallic, metelaidd (ans); metelig (ans).

    metallurgy, meteleg (eb).

metamorphism, trawsffurfedd (eg); metamorffedd (eg).

    metamorphic, metamorffig (ans).

    metamorphosis, trawsffurfiad (eg); metamorffosis (eb).

metaphase, metaffas (eg).

metatarsal, metatarsol (ans); gwadnol (ans).

    metatarsus, metatarsws (eg); cefn-troed (eg).

meter, mesurydd (eg), -ion; me(i)dr (eg), -au.

    metering wheel, olwyn (eb) fesur.

methane, methan (eg).

    methanol, methanol (eg).

method, dull (eg), -iau; method (eg), -au; modd (eg), -au.

methylate, methylu (be).

    methylated spirit, meths (eg); gwirod methyl (eg).

metre, metr (eg), -au.

metritis, metritis (eg); llid (eg) y famog.

microbe, microb (eg), -au.

    microbial fermentation, eplesiad (eg) microbaidd.

    microbiology, microbioleg (egb).

micronutrient, microfaethyn (eg).

micro-organism, micro-organeb (eb), -au.

    soil micro-organisms, micro-organebau'r pridd.

microscope, microsgop (eg), -au.

    microscopic, microsgopaidd (ans).

micturate, troethi (be); gwneud dŵr (be).

    micturition, troethiad (eg); pisiad (eg).

    micturition reflexes, atgyrchion troethi (ell).

midden, y domen (eb), (ll. tomennydd).

middleman, rhyngfasnachwr (eg), (ll. rhyngfasnachwyr); dyn canol (eg).

midrib, gwythïen (eb) ganol (deilen), (ll. gwythiennau canol).

migrate, ymfudo (be).

    migratory, ymfudol (ans).

    migratory cell, cell (eb) ymfudol.

mildew, y gawod (eb) lwyd; llwydni (eg); llwydi (eg).

milk, llefrith (eg); llaeth (eg).

    milk dry, godro'n sych (be).

    milk fever, clwy (eg) llaeth; twymyn (eb) llaeth.

    milk letdown, gollwng llaeth (be).

    Milk Marketing Board (MMB), Bwrdd Marchnata Llaeth.

milk off her back, godro oddi ar ei chefn.

milk recording, cofnodi (be) llaeth; cofnodi llefrith.

milk replacer, llefrith gosod; llaeth gosod.

milkiness, llaethogrwydd (eg).

milking bail, sied (eb) odro symudol.

milking machine, peiriant (eg) godro, (ll. peiriannau godro).

milking parlour, parlwr (eg) godro, (ll. parlyrau godro).

monthly (milk) recording by statement, cofnodi misol drwy ddatganiad.

pasteurised milk, llefrith/llaeth wedi'i bastwreiddio.

sterilised milk, llefrith/llaeth wedi'i steryllu.

tuberculin-tested milk, llefrith/llaeth ardyst.

untreated milk, llefrith/llaeth heb ei drin.

mill, melin (eb), -au.

milling, malu (be); melino (be).

millstone grit, grut (eg) melinfaen.

millet, milet (eg), -au.

millilitre, mililitr (eg), -au.

mineral, mwyn (eg), -au; mwynol (ans).

mineral licks, mwynau llyfu (ell).

mineral salts, halwynau mwynol (ell).

minimum, isafswm (eg); isafrif (eg).

minimise, isafu (be).

mist, niwlen (eb).

river mist, tarth (eg), -au, -oedd.

mite, gwiddonyn (eg); gwiddon (ell); pycsen (eb), (ll. pycs).

mitosis, mitosis (eg).

mix, cymysgu (eb).

mixed, cymysg (ans); cymysgedig (ans).

mixture, cymysgedd (eg), -au.

mobile, mudol (ans); symudol (ans).

moderate rainfall, glawiad (eg) cymedrol.

modernisation, moderneiddio (be).

modify, newid (be); addasu (be); adnewid (be); goleddfu (be).

modified, adnewidiadol (ans).

moisture, gwlybaniaeth (eg); lleithder (eg).

moist barley tower, twr (eg) haidd llaith.

moisture content, cynnwys (eg) lleithder.

molar, cilddant (eg), (ll. cilddannedd).

molasses, triagl (eg); molases (eg).

mole, gwadd (eg), -od; twrch daear (eg), (ll. tyrchod daear).

mole drainage, twrch-ddraenio (be).

"Mole" wrench, tyndro (eg) hunanafael, (ll. tyndroeon hunanafael).

molecule, molecwl (eg), (ll. molecylau).

molinia, gwellt y gweunydd (eg).

Mollusca/molluscs, Mollusca.

molten (metal), (metel) tawdd (ans).

molybdenum (Mo), molybdenum (eg).

money, arian (eg); pres.

    monetary compensatory amounts, symiau arian cyfadferol (ell).

monocotyledon, monocotyledon (eg); unhad-ddeilen (eg).

monoculture, ffermio uncnwd; unllystyfiant (eg).

monopitch, un codiad.

monopoly, monopoli (eg), (ll. monopolïau).

monozygotic, monosygotig (ans).

moon, lleuad (egb), -au; lloer (eb), -au.

    moon wane (wax), ciliad (cynnydd) y lleuad.

    crescent moon, lleuad gilgant.

    full moon, lleuad (l)lawn.

    harvest moon, lleuad fedi; y naw nos olau.

    new moon, lleuad newydd.

    phases of the moon, gweddau'r lleuad.

moorland, gweundir, (eg), -oedd; gweundirol (ans).

morbidity, afiachedd (eb); morbidrwydd (eg).

mortality, marwoldeb (eg); marwolaethol (ans).

    mortality rate, cyfradd (eg) marwolaethau.

mortar, morter (eg), -au.

mortgage, morgais (eg), (ll. morgeisi); morgeisio (be).

moss, mwsogl (eg), -au.

mother cell, mamgell (eb), -oedd.

motor, modur (eg), -on; motor (eg), -au.

    motor root, gwreiddyn (eg) echdygol, (ll. gwraidd echdygol).

mould, llwydni (eg).

mould-board, asgell (eb); borden (eb); casten (eg).

moult, bwrw (plu/croen) (be); colli plu (be).

mount, marchocau (be); marchogi (be).

    mounted, wedi'i osod (ans); mowntiedig (ans); crog (ans).

mountain pasture, porfa (eb) fynydd, (ll. porfeydd mynydd).

mounting, mowntin (eg), -au.

mouse, llygoden (fach) (eb), [ll. llygod (bach)].

mouth, ceg (eb), -au; safn (eb), -au; genau (eb), (ll. geneuau).

movement (locomotion), symudiad (eg), -au; ymsymudiad (eg), -au.

mow, lladd (gwair) (be); torri (be).

    mower, torrwr (eg) gwair, (ll. torwyr gwair); peiriant (eg) torri gwair.

    drum mower, torrwr gwair drymiau.

mucous, mwcaidd (ans); gludiog (ans).

    mucous gland, chwarren (eb) fwcaidd.

    mucous membrane, pilen (eb) fwcaidd.

muggy, mwll (ans).

multi-, aml-; lluosol.

multicellular, amlgellog (ans).

multiple, lluosol (ans).

muscle, cyhyr (eg), -au; cyhyrol (ans).

    muscle (a specific one/type), cyhyryn (eg), -nau.

    muscle attachment, cydfan cyhyryn/cyhyrau.

    muscular contraction, cyfangiad cyhyrol (ans).

    musculature, cyhyredd (eg).

    musculo-, cyhyro-.

    musculocutaneous, cyhyrogroenol (ans).

    musculoskeletal, cyhyrosgerbydol (ans).

    ciliary muscle, cyhyr ciliaraidd.

    extensor muscle, cyhyryn estyn.

    eye muscle, cyhyr llygad.

    flexor muscle, cyhyryn plygu.

    involuntary muscle, cyhyr anrheoledig.

    inter-muscular, rhyng-gyhyrol (ans).

    smooth muscle, cyhyr anrhesog; cyhyr llyfn.

    striated/skeletal muscle, cyhyr rhesog.

    voluntary muscle, cyhyr rheoledig.

mushroom, madarchen (eb), (ll. madarch).

    mushroom-like, madarchaidd (ans).

mustard, mwstard (eg).

mutton, cig (eg) dafad.

mutual, cilyddol (ans).

mycelium, myceliwm; mycelia (eg).

mycology, mycoleg (eb).

    mycosis, clefyd (eg) ffwng; mycosis (eg).

mycotic dermatitis, gwlân (eg) clapiog.

mycotoxicosis, mycotocsicosis (eg).

myxomatosis, micsomatosis (eg).

N

nail, hoelen (eg), (ll. hoelion); hoelio (be).

nardus, cawnen ddu (eb).

nares, ffroen (eb), -au.

nasal, trwynol (ans).

    nasal cavity, ceudod (eg) trwynol.

nascent, genedigol (ans).

National Institute of Agricultural Botany, Sefydliad (eg) Cenedlaethol Llysieueg Amaethyddol.

National Milk Records, Cofnodion (ell) Llaeth Cenedlaethol (ell).

native protein, protein (eg) cynhenid.

natural selection, detholiad (eg) naturiol.

natural gas, nwy (eg) naturiol.

nature,   1. natur (eb).

              2. anian (egb).

    Nature Conservancy Council, Cyngor (eg) Gwarchod Natur.

    Nature Reserve, Gwarchodle (eb) Natur, (ll. Gwarchodleoedd Natur).

navel, bogail (egb), (ll. bogeiliau).

    navel ill, clwy'r (eg) bogail.

nearest neighbour, cymydog (eg) agosaf, (ll. cymdogion agosaf).

nectar, neithdar (eg), -au.

    nectary, neithdarle (eg).

needle, nodwydd (eb), -au.

negative, negyddol (ans); negatif (ans).

nematode, nematôd (eg), (ll. nematodau).

    Nematoda, Nematoda (ell).

nematodiriasis, nematodiriasis (eg).

Nematodirus, llyngyr Nematodirus (ell).

neonatal, newydd-anedig (ans).

nerve, nerf (ebg), -au.

    nerve ending, terfyn (eg) nerf.

    nerve fibre, edefyn (eg) nerf, (ll. edafedd nerf).

    nerve impulse, ysgogiad (eg) nerf.

    nerve net, nerfrwyd (eb), -i, -au.

    nervous,   1. nerfol (ans).

                    2. nerfus, ofnus, gofidus, pryderus (ans).

    nervous system (central), y brif system (eb) nerfol.

    nervous tissue, meinwe (eg) nerfol.

    auditory nerve, nerf y clyw.

    motor nerve, nerf weithredol.

    optic nerve, nerf optig.

    sensory nerve, nerf synhwyro.

    spinal nerve, nerf yr asgwrn cefn; (Meddygol) cordyn (eg) y cefn.

net, net (ans); gwir (ans); clir (ans).

    net capital, gwir gyfalaf (eg).

    net income, incwm (eg) clir.

    net loss, gwir golled (eb).

    net wage, gwir gyflog (egb).

    net weight, gwir bwysau (eg).

    opening net capital, gwir gyfalaf agoriadol.

nettles, danadl poethion (ell); dail (ell) poethion.

network, rhwydwaith (eg), (ll. rhwydweithiau).

neural, niwral (ans).

    neural arch, bwa (eg) niwral, (ll. bwâu niwral).

    neural tube, tiwb (eg) niwral.

neurone, niwron (eg), -au; nerfgell (eb), -oedd.

neutral, niwtral (ans).

    neutrality, niwtraledd (eg).

    neutralization, niwtraliad (eg).

    neutralize, niwtralu (be).

    neutralized, niwtraledig (ans).

new-born, newydd-anedig (ans).

Newcastle disease, clefyd (eg) Newcastle.

New York Dressed, Dull Efrog Newydd.

nipple, teth (eb), -i, -au; diden (eb), -nau; nipl (eg), -au.

nitrate, nitrad (eg), -au; nitradu (be).

    nitration, nitradiad (eg).

    nitrification, nitreiddiad (eg).

    nitrify, nitreiddio (be).

    nitrifying bacteria, bacteria (ell) nitreiddio.

nitric acid, asid (eg) nitrig.

nitrogen (N), nitrogen (eg).

    nitrogen cycle, cylchred (eb) nitrogen.

    nitrogen fixation, sefydlogiad (eg) nitrogen; digroniad (eg) nitrogen.

    nitrogenous waste products, sylweddau gwastraff nitrogenaidd (ell).

nodal, nodalaidd (ans).

    node,   1. nod (eg), -au = 1. ar hyd coes planhigyn;

                                 2. nod Ranvier (nerf).

                 2. nôd (eg), -au.

    nodular, cnepynnaidd (ans); nodwlaidd (ans).

    nodule, cnepyn (eg), -au; nodwl (eg), (ll. nodylau).

non-accredited, anachrededig (ans).

    non-corrosive, anghyrydol (ans).

    non-essential (amino acid), (asid amino) dianghenraid (ans).

    non-flammable, anfflamadwy (ans).

    non-flowering, anflodeuol (ans).

    non-hydrous, anhydrus (ans).

non-ferrous, anfferus (ans).

non-identical (twins), (gefeilliaid) anunfath (ans); heb fod yr un fath (ans).

non-living, anfyw (ans).

non-metal, anfetel (eg), -au.

non-porous, difandwll (ans).

non-ruminant, (anifail) anghilgno (ans).

normal, normal (ans).

    normal distribution, dosraniad (eg) normal.

nose, trwyn (eg), -au.

nostril, ffroen (eb), -au.

notch, bwlch (eg), (ll. bylchau); rhic (eg), -iau; bylchu (be); rhicio (be).

    notched, bylchog.

notifiable disease, clefyd (eg) hysbysadwy.

nourishment, maeth (eg).

    nourishing, maethol (ans).

nozzle, ffroenell (eb), -au.

nucleus, cnewyllyn (eg); niwclews (eg).

    nucleated, cnewyllol (ans); niwcledig (ans).

nut, nyten (eb), (ll. nytiau).

    nuts and bolts, nytiau a byllt (ell).

    adjusting nut, nyten gymhwyso.

    castle nut, nyten gastell.

    die nut, nyten ddei.

    lock nut, nyten gloi.

    wing nut, nyten asgellog.

nutrient, cydran (eg) bwyd; maethyn (eg), -nau; maetholyn (eg), -au.

    nutrient jelly, jeli (eg) meithrin.

    nutrition, 1. (science of -), ymbortheg (eb); maetheg (eb).

               2. (mode of using food), maethiad (eg).

               3. (mode of feeding), ymborthiad (eg).

    nutrition chemistry, cemeg (eg) maethiad.

    nutritional scours, ysgoth (eg) melyn.

    nutritious, maethlon (ans).

    malnutrition, camfaethiad (eg).

    micronutrient, microfaethyn (eg).

    under nutrition, tanfaethiad (eg).

nylon, neilon (eg).

nymph, nymff (eb), -od.

O

oak, derwen (eb), (ll. derw).

    oak posts, pyst (ell) derw; polion (ell) derw.

oast-house, sied (eb) sychu hopys.

oats, ceirch (e.torfol); ceirchen (eb unigol); ceirchyn (eg unigol).

    rolled oats, ceirch wedi'u rholio.

observe, arsylwi (be); nodi (be).

    observation, arsylw (eg), -adau.

object, gwrthrych (eg), -au.

obstruction, rhwystr (eg), -au; atalfa (eb), (ll. atalfeydd).

occupier, deiliad (eg), (ll. deiliaid); preswyliwr (eg), (ll. preswylwyr).

    owner-occupier, perchenddeiliad (eg), (ll. perchenddeiliaid); perchennog preswyl (eg), (ll. perchenogion preswyl).

ocular, llygadol (ans); ocwlar (ans).

odour, arogl (eg), (ll. arogleuon).

    odorous, aroglus (ans).

    odourless, diarogl (ans).

oedema, oedema (eg); dyfrchwydd (eg); dropsi (eg).

    bowel oedema, oedema'r perfedd/ymysgaroedd (eg); chwyddi (eg).

oesophageal, sefnigol (ans); oesoffagaidd (ans).

    oesophageal groove, rhigol (eg) yr oesoffagws/y sefnig/y llwnc.

    oesophagitis, llid (eg) y sefnig; oesoffagitis (eg).

    oesophagus, sefnig (eg); y llwnc (eg); oesoffagws (eg).

oestrogen, oestrogen (eg), -au.

oestrous cycle, cylchred oestrws (eb).

    oestrus, oestrws (eg).

    oestrum, oestrwm (eg).

    oestrum bitch, gast gynhaig.

    oestrum cow, buwch wasod; derfenydd; buwch yn ymosod; buwch yn gofyn tarw.

    oestrum mare, caseg farchus; caseg yn gwynad.

    oestrum sheep, dafad yn maharenna; dafad yn rhydio.

    oestrum sow, hwch lodig, hwch yn gofyn baedd.

offal, offal (eg); syrth (eg), -au.

offshoot, cangen (eb), (ll. canghennau).

off-set, atred (eg), -au; ongli (be).

    off-set jaw spanner, sbaner â safn atred.

oil, olew (eg), -au; oel (eg), -iau; iro (be); oelio (be).

    oil can, can (eg) olew; tebot (eg) oel.

    oil filter, ffilter (eg) oel/olew; hidlen (eb) oel/olew.

    oil hole, twll (eg) oel/olew, (ll. tyllau oel/olew).

    oil reservoir, cronfa (eb) olew.

    oil palm kernels, cnewyll palmwydd olew (ell).

    oilseed rape, rêp hadau olew.

oilstone, carreg (eb) hogi, (ll. cerrig hogi); hôn (eg), (ll. honau).
oily, olewog (ans); olewaidd (ans).
combination oilstone, carreg hogi ddwbl.
heavy oil, olew trwchus.
light oil, olew tenau.
lubricating oil, olew iro; oel iro.
maize/corn oil, olew corn.
vegetable oil, olew llysiau.
ointment, eli (eg); balm (eg).
olfactory, arogleuol (ans).
omasum, omaswm (eg); y god (eb) fach.
on-floor drying, sychu ar lawr.
open-end spanner, sbaner (eg) ceg agored, (ll. sbaneri ceg agored).
open-field system, cyfundrefn (eb) maes agored, (ll. cyfundrefnau maes agored).
operate, gweithredu (eb).
   operation, operasiwn (eg), (ll. operasiynau); triniaeth (eb) lawfeddygol,
   (ll. triniaethau llawfeddygol).
optic, optig (ans).
   optic nerve, nerf (eb) optig.
   optical, optegol (ans).
optimal, optimaidd (ans).
   optimum, optimwm (eg); optimwm (ans).
   optimise, optimeiddio (be).
oral, geneuol (ans).
orbit, crau (eg), (ll. creuau); soced (eg), -au, -i.
   orbital, creuol (ans); socedol (ans); orbitol (ans).
order, archeb (eb), -ion.
orf, orff (eg).
   benign orf, orff anwyllt; orff anfalaen.
   malignant orf, orff adwythig; orff malaen.
organ, organ (eb), -au.
   organic, organig (ans).
   organic matter, sylwedd organig (eg).
   organism, organeb (eb), -au.
orifice, agorfa (eb), -oedd; agoriad (eg), -au.
origin, tarddiad (eg).
   (= **source),** ffynhonnell (eb), (ll. ffynonellau).
   originate, tarddu (be); deillio (o) (be).
   animal origin, tarddiad anifeiliol.
   point of origin, tarddle (eg), -oedd.
   vegetable origin, tarddiad llysieuol.
oscillate, osgiliadu (be).
   oscillation, osgiliad (eg), -au.
   oscillator, osgiliadur (eg), -on.

oscillatory, osgiliadol.

oscillating spout, sbowt (eg) osgiliadol.

osmosis, osmosis (eg).

ossicle, esgyrnyn (eg), (ll. esgyrnynnau); osigl (eg), -au.

ossification, esgyrniad (eg); asgwrneiddiad (eg).

ostertagia, ostertagia (eg).

ostium, ostiwm (eg); agorfa (eb), (ll. agorfeydd).

outdoor, yn yr awyr agored (ans).

outfall, allanfa (eb), (ll. allanfeydd).

outflow, all-lif (eg), -au; echlif (eg), -au.

  outflowing, all-lifo (ans).

outlay, gwariant (eg).

outlet, allfa (eb), (ll. allfeydd).

  inlet, mewnfa (eb), (ll. mewnfeydd).

output, allgyrch (eg); cynnyrch (eg).

  total output, allgyrch cyfan.

out-winter(ing), gaeafu allan (be).

  out-wintered, gaeafwyd allan.

ovarian, wyfaol (ans); ofaraidd (ans).

  ovary, wyfa (eb); ofari (eg), (ll. ofarïau).

  ovary wall, mur (eg) yr ofari.

ova transfer, trosglwyddo ofa (be).

over-, gor-.

overall (e.g. rate, reaction), cyflawn (ans); drwyddo draw (ans); drwodd a thro; at ei gilydd (ans); o ben i ben.

  overall, troswisg (eb), -oedd; oferôl (eg), (ll. oferolau).

overcrowded, gorlawn (ans).

  overcrowding, gorlenwi (be).

overdraft, gorgodiad (eg), -au.

overdrive, goryriant (eg).

overestimate, goramcangyfrif (eg), -on; goramcangyfrif (be).

overflow, gorlif (eg), -au; gorlifo (be).

overhang, gordo (eg),-eau, -eon.

overhaul, atgyweirio (be).

overhead, 1. (Cyll) gorgost (eb), -au; gorbenion (ell); costau parhaol (ell).
  2. uwchben (adf.)

overhead valve, falf (eb) uwchben; falf oruwch.

overhead wires, gwifrau uwchben (ell).

overheat, gorboethi (be); gordwymo (be).

overlap, gorgyffyrddiad (eg), -au; gorgyffwrdd (be).

overshot, gên (eb) hir; ceg (eb) mochyn.

overspill, gorlif (eg), -oedd; gorlifo (be); llifo drosodd (be).

overtighten, gordynhau (be).

overtime, goramser (adf.); oriau ychwanegol (ell).

over-wintered, cadwyd dros y gaeaf.

oviduct, dwythell (eb) wyau.

ovine, teulu'r ddafad.

ovulate, bwrw wy (be).

    ovulation, ofwliad (eg); bwrw wy.

    ovulation rate, graddfa (eb) bwrw wyau.

    ovum, wy (eg), -au; ofwm (eg), (ll. ofa).

owner, perchennog (eg), (ll. perchenogion).

oxalic acid, asid (eg) ocsalig.

oxidant, ocsidydd (eg), -ion.

    oxidation, ocsidiad (eg), -au.

    oxide, ocsid (eg), -au.

    oxidisation, ocsideiddiad (eg).

    oxidised, ocsidiedig (ans).

    oxidising agent, ocsidydd (eg), -ion; cyfrwng (eg) ocsidio.

    oxidize, ocsidio (be).

oxy-, ocsi-.

    oxy-acetylene, ocsy-asetylên (eg).

    oxygen (O), ocsigen (eg).

    oxygenate, ocsigenu (be).

    oxygenated blood, gwaed (eg) ocsigenedig.

    oxygenation, ocsigeniad (eg).

    oxyhaemoglobin, ocsihaemoglobin (eg).

    oxytocin, ocsitosin (eg).

P

pack, sypynnu (be); cronni (be).
  packer crank, cranc cronni.
  packer fingers, bysedd cronni.
  packing, pacio (be).
paddock, marchgae (eg), -au; padog (eg), -au.
  paddock grazing, pori padogau.
palatal, taflodol (ans).
  palate, taflod (eb), -ydd, -au.
  palatability, blasusrwydd (eg).
palette, palet (eg), -au.
palm kernel, cnewyllyn (eg) palmwydd, (ll. cnewyll palmwydd).
pan, padell (eb) (ll. -i; -au; pedyll).
pancreas, cefndedyn (eg); pancreas (eg).
  pancreatic duct, dwythell (eb) y cefndedyn; dwythell bancreatig.
  pancreatitis, llid (eg) y cefndedyn; pancreatitis (eg).
pandemic, pandemig (eg/ans).
panel, panel (eg), -i.
pant, dyhyfod (be); bod yn fyr ei (g)wynt; bod yn fyr ei (h)anadl.
  panting, dyhyfod; byr ei (g)wynt (ans).
papilla, papila (eg), (ll. papilâu); tethen (eb), -nau.
  papillary, papilaidd (ans); tethennol (ans); didennol (ans).
paraffin, paraffin (eg).
paralysed, parlysedig (ans).
  paralysis, parlys (eg), -au.
  paralytic, parlysol (ans); parlysedig (ans).
parasite, parasit (eg), -iaid.
  parasitism, parasitedd (eg).
  parasitic, parasitig (ans).
  parasitic bronchitis (husk), broncitis (eg) parasitig (yr hach).
  parasitic gastro-enteritis, gastro-enteritis (eg) parasitig.
  parasitic mange of equines, clafr (eg) parasitaidd ceffylau.
parkland, parcdir (eg), -oedd.
  parkland avenues, rhodfeydd parcdir (ell).
parlour, parlwr (eg), (ll. parlyrau).
  abreast parlour, parlwr cyfochrog.
  herring-bone parlour, parlwr saethben; parlwr herring-bôn.
  low-level parlour, parlwr lefel isel.
  milking parlour, parlwr godro.
  rotary parlour, parlwr amdro.
  tandem parlour, parlwr tandem.
part, darn (eg), -au; rhan (eg), -nau.
  part-time, rhan-amser.

particle, gronyn (eg), -nau.

partition, pared (eg), -au.

partner, partner (eg), -iaid.

partnership, partneriaeth (eb), -au.

parturition, esgoriad (eg), -au; genedigaeth (eb), -au; bwrw llo/ebol/oen, etc.

passage, tramwyfa (eb), (ll. tramwyfeydd).

passive, goddefol (ans).

passive immunity, imwnedd (eg) goddefol.

Pasteurella, Pasteurella (eg).

pasteurisation/pasteurization, pasteureiddiad (eg).

pasteurise/pasteurize, pasteureiddio (be).

pastoral farming, ffermio/ffarmio bugeiliol.

pastoralism, bugeilyddiaeth (eb).

mountain pasture, porfa (eb) fynydd.

rough pasture, porfa arw.

pasture, porfa (eb), (ll. porfeydd, porfâu, porfaoedd); tir (eg) pori.

patchy grass, glaswellt clytiog (ell).

path, llwybr (eg), -au.

pathogen, pathogen (eg), -au.

pathogen(ic), pathogenaidd (ans).

pathology, patholeg (eb).

plant pathology, patholeg planhigion.

pay, cyflog (egb), -au; talu (be).

payment, tâl (eg); taliad (eg), -au.

payment in kind, alafdal (eg).

cash payment, talu ar law.

deferred payment, tâl gohiriedig.

deficiency payment, tâl diffyg.

down payment, ernes (eb); blaendal (eb).

incentive payment, cymhelldal (eg).

prepayment, blaendal.

peanuts, cnau daear (ell).

peat, mawn (eg).

peat bog, mawnog (eb), -ydd.

peat hag, torlan (eb) fawn, (ll. torlannau mawn).

pectic acid, asid (eg) pectig.

pedal, pedal (eg), -au.

pedigree, llinach (eb); tras (eb).

pedigree stock, stoc o dras (eg).

pedogenic, priddegol (ans).

pedology, priddeg (eb).

pelvis (bone), pelfis (eg).

pelvis (area), ceudod (eg) pelfig.

pelvic cavity, ceudod pelfig.

pelvic girdle, gwregys (eg) pelfig.

pen, corlan (eb), -nau; ffald (eb), -iau; lloc (eg), -iau; buartho (be); buarthu (be); corlannu (be); ffaldio (be); llocio (be).

penetrate, treiddio (be).

    penetration, treiddiad (eg), -au.

penicillin, penisilin (eg).

penis, pidyn (eg); cala (eb); y gal (eb); penis (eg); gwialen (eb).

pepsin, pepsin (eg).

per cent, y cant.

percentage, canran (eg), -nau.

    killing out percentage, canran lladd allan.

    lambing percentage, canran ŵyna.

    per head, y pen; fesul pen.

percolate, trylifo (be).

    percolation, trylifiad (eg), -au.

perennial, lluosflwydd (ans); parhaol (ans).

    perennial flower, blodyn (eg) lluosflwydd.

    perennial rye-grass, rhygwellt parhaol (ell).

performance, perfformiad (eg), -au.

peri-, ogylch; peri-.

pericarditis, pericarditis (eg).

    pericardium, pericardiwm (eg).

perimeter, perimedr (eg), -au; amfesur (eg), -au.

period, cyfnod (eg), -au; tymor (eg), (ll. tymhorau).

    periodic, cyfnodol (ans).

    long period, hirdymor.

    medium period, canoldymor.

    short period, byrdymor.

perinatal, amenedigol (ans).

peristalsis, peristalsis (eg).

    peristaltic, peristaltig (ans).

peritoneal, perfeddlennol (ans); peritoneaidd (ans).

    peritoneum, perfeddlen (eb), -ni; peritonewm (eg).

    peritonitis, llid (eg) y berfeddlen; peritonitis (eg).

permanent, parhaol (ans); sefydlog (ans).

    permanent grass, tir (eg) pori parhaol.

    permanent pasture, porfa (eb) barhaol, (ll. porfeydd parhaol).

permeable, athraidd (ans).

    permeability, athreiddedd (eg), -au.

    permeable fill, llanw (eg) athraidd.

permit, caniatâd (eg); hawlen (eb); caniatáu (be).

persistency, hirbarhad (eg).

perspiration, chwys (egb).

    perspire, chwysu (be).

pervious, hydraidd (ans).

pessary, crothateg (eb), -ion; pesari (eg), -au.

pest, pla (eg), (ll. plâu).

    pesticide, plaleiddiad (eg), (ll. plaleiddiaid).

petal, petal (eg), -au.

petiole, petiol (eg), -au; deilgoesyn (eg).

petroleum, petroliwm (eg); petrolew (eg).

    petrol engine, peiriant (eg) petrol; injan (eb) betrol.

pH meter, pH-iadur (eg).

    pH value, gwerth (eg) pH, (ll. gwerthoedd pH).

pharmaceutical, fferyllol (ans).

pharyngeal, ffaryngeal (ans); uwchlyncol (ans).

    pharyngeal cavity, ceudod (eg) y ffaryncs; ceudod (eg) y gwddf.

    pharynx, ffaryncs (eg); yr uwchlwnc (eg).

phase, gwedd (eb), -au; ffurf (eb), -iau.

    phases of the moon, gweddau'r lleuad (ell).

phenol, ffenol (eg).

pheramones, fferamonau (ell).

phosphate, ffosffad (eg), -au.

phosphate ground rock, ffosffad (eg) carreg fâl.

    North African Mineral Phosphate, Ffosffad Mwynol Gogledd Affrica.

    super phosphate, siwper ffosffad.

    phosphorous (P), ffosfforws (eg).

    Triple Super Phosphate, Siwper Ffosffad Triphlyg.

photoperiodism, ffotogyfnodedd (eg).

photosynthesis, ffotosynthesis (eg).

phylum, ffylwm (eg), (ll. ffyla).

phyllo-, ffylo-.

physical, ffisegol (ans).

    physical change, newid (eg) ffisegol.

    physical properties, priodweddau ffisegol (ell).

phthisis, darfodedigaeth (eg); y pla gwyn (eg); y dic(i)âu; twbercwlosis (eg).

physiological, ffisiolegol (ans).

    physiology, ffisioleg (egb).

pick up, cipyn (eg), -nau.

piece work (remuneration), tâl yn ôl y gwaith (eg).

pig, mochyn (eg), (ll. moch).

    piglet, mochyn bach.

    piglet anaemia, anaemia (eg) moch bach.

    pigman, meichiad (eg), (ll. meichiaid); bugail moch, (ll. bugeiliaid moch).

    fat pig, mochyn tew.

    heavy pig/hog, mochyn trwm.

pin, pin (eg), -nau.

    pin bones, esgyrn (ell) pin.

cotter (split) pin, pin (eb) hollt; pin cloi; cotral (eb).

hitch pin, pin bachu.

king pin, prif-golyn (eg), -nau, -nod.

pincers, pinsiw(r)n (eg), (ll. pinsiw(r)nau); gefel (eb) bedoli, (ll. gefeiliau pedoli).

pine (disorder), diffyg ffyniant (eg); dihoeni (be); nychu (be).

pinion, piniwn (eg), (ll. piniynau).

pint, peint (eg), -iau.

pioneer crop, cnwd (eg) arloes.

pipe, pibell (eb), -au, -i; peipen (eb), (ll. peipiau); pibellu (be).

exhaust pipe, peipen wacáu; allbib (eb).

piston, piston (eg), -au.

piston rings, cylchau piston (ell).

pistil, pistil, (eg), -iau.

pitch,   1. (sylwedd) pyg (eg).

2. (Daeareg) gogwydd (eg), -au; pits (eg), -iau; gogwyddo (be); pitsio (be).

pitchstone, pygfaen (eg), (ll. pygfeini).

pith, bywyn (eg), -nau; pith (eg).

pitted, pyllog (ans); mân-bantiog (ans).

pitting, pantio (be).

pituitary gland, chwarren (eb) bitwidol, (ll. chwarennau pitwidol).

pivot, colyn (eg), -nau.

pivot joint, cymal (eg) pifod; cymal cylchdroi.

pivotal, colynnol (ans).

pivoted, ar golyn (ans).

place, llecyn (eg), -nau.

placenta, brych (eg), -od; placenta (eg).

placenta praevia, brych-blaen; placenta praevia.

placental, brychol (ans); placentol (ans).

retained placenta, ôl-frych.

plague, pla (eg), (ll. plâu); haint (eb) y nodau.

plague (cattle), pla'r gwartheg (eg).

plan, cynllun (eg), -iau.

plant,   1. offer (ell); peiriant (eg), (ll. peiriannau); offeiriant (eg), (ll. offeiriannau.)

2. planhigyn (eg), (ll. planhigion).

plant food, bwyd (eg) planhigion.

Plant Food Units (P.F.U.), Unedau Bwyd Planhigion (ell).

plant population, poblogaeth (eb) planhigion.

plantation, planhigfa (eb), (ll. planhigfeydd).

planting, plannu (be).

plasma, plasma (eg).

plasma cell, plasma-gell (eb).

plate, plât (egb), (ll. platiau); haen (eb), -au; platio (be); haenellu (be).

clutch plate, plât (eb) cydio; plât troi; plât cydiwr; plât clyts.

platform, llwyfan (egb), -nau.

play (free), chwarae (eg).

pleura, eisbilen (eb), -ni; pilen (eb) yr ysgyfaint.

    pleural, eisbilennol (ans); plewral (ans).

pleurisy, plewrisi (eg); eisglwyf (eg).

pliable, ystwyth (ans).

    pliability, hyblygedd (eg).

    pliancy, ystwythder (eg).

    pliant, ystwyth (ans).

pliers, gefelen (eb), (ll. gefeiliau); pleiars (eg).

    wire pliers, gefelen wifren/weiar.

plot, plot (eg), -iau; plotio (be).

plough, aredig (be); troi (be); aradr (egb), (ll. erydr); gwŷdd (eg).

    mounted plough, aradr (eb) grog; gwŷdd (eg) crog.

    plough-share, swch (eb), (ll. sychod).

    reversible plough, aradr wrthdro; aradr wrthdroadwy; aradr gildroadwy.

    snow-plough, swch eira; aradr eira.

    three furrow plough, aradr deircwys.

plough parts,

    body, corff (eg), (ll. cyrff).

    coulter, cwlltr (eg), (ll. cylltyrau); cwlltwr (eg), (ll. cylltyrau).

    landside, lanseid (eg).

    mouldboards, esgyll (ell) aradr.

    share, swch (eb), (ll. sychau).

    skimmer, sgimar.

    wing, asgell (eb), (ll. esgyll); 'styllen (eb), (ll. 'styllod).

pluck, plicio (be); pluo (be); plufio (be).

plug, plwg (eg), (ll. plygiau); plygio (be).

    plug gauge, me(i)drydd plwg.

    plug heater, plwg gwresogi; plwg twymo.

    glow plug, plwg tanbeidio.

    heat plug, plwg twymo.

    sparking plug, plwg tanio, (ll. plygiau tanio).

plumule, cyneginyn (eg), (ll. cynegin); plwmwl (eg), (ll. plymylau).

plunge, plymiad (eg), -au; plymio (be).

    plunger, plymiwr (eg); gwthiwr (eg).

pneumo-, niwmo-.

pneumonia, newmonia (eg); llid (eg) yr ysgyfaint.

poach (land), sathru (be); mathru (be); sarnu (be); damsang (be).

    poaching, sathru (be); mathru (be).

pod, cib (eg), -au; coden (eb), -nau.

point,   1. pwynt (eg), -iau; trwyn (eg), -au.

              2. blaen (eg), -au; blaenllymu (be); rhoi blaen ar (be).

94

point of attachment, cydfan (eg), -nau.
point of insertion, mewnfan (eg), -nau.
point of lay, ar ddodwy.
pointed, pigfain (ans).
contact points, pwyntiau cyswllt (ell).
saturation point, pwynt dirlawnder.
three point linkage, cysylltedd (eg) tri phwynt.
poison, gwenwyn (eg), -au; gwenwyno (be).
    poison(ing). gwenwyniad (eg).
    poisonous, gwenwynig (ans); gwenwynol (ans).
    blood-poisoning/septicaemia, gwenwyniad gwaed.
polarity, polaredd (eg).
    polarize, polaru (be).
policy, polisi (eg), (ll. polisïau).
poll, moel (ans).
pollen, paill (eg).
    pollen grain, gronyn (eg) paill.
    pollination, peilliad (eg).
    self-pollination, hunan-beilliad.
    wind pollination, peillio/peilliad gan y gwynt.
pollution, llygredd (eg); difwyniad (eg).
    pollute, llygru (be); difwyno (be).
polyculture, aml-gnwd (eg); amlgnydio (be).
polythene, polythen (eg).
    polythene pipe, pibell (eb) bolythen, (ll. pibelli/pibellau polythen).
pond, pwll (dŵr), (ll. pyllau dŵr).
    pondweed, dyfrllys (eg).
pony trekker, merlotwr (eg), (ll. merlotwyr).
    pony-trekking, merlota (be).
pop rivet, rhybed (eg) pop, (ll. rhybedion pop).
population, poblogaeth (eb), -au.
porcine, teulu'r mochyn.
pore, mandwll (eg), (ll. mandyllau).
    pore size, twllfaint (eg).
pork, porc (eg).
    porker, mochyn (eg) porc (ll. moch porc); porcyn (eg), (ll. pyrcs).
porous, mandyllog (ans).
    porosity, mandylledd (eg), -au.
    porous fill, llanw (eg) athraidd.
port, porth (eg), (ll. pyrth).
    exhaust port, porth gwacáu.
    inlet port, porth y fewnfa.
    transfer port, porth trosglwyddo.
portable, cludadwy (ans).

portal, porthol (ans).

    portal vein, y wythïen (eb) borthol/bortal.

    portal frame, ffrâm (eb) bortal.

positive, positif (ans).

    positive drive, gyriad (eg) positif.

post, polyn (eg), (ll. polion); pawl, (ll. polion); post (eg), (ll. pyst, postiau); postyn, (ll. pyst, postiau).

    strainer post, polyn tynnu; postyn tynnu.

post-emergent, ôl-allddodol (ans).

postnatal, ôl-esgor (ans).

post parturient gangrene, madredd (eg) ôl-esgor.

potash, potas (eg), -au; potash (eg), -au.

    muriate of potash, miwriet (eg) potas.

    sulphate of potash, sylffad (eg) potas.

potassium (K), potasiwm (eg).

potato, taten (eb), (ll. tatws, tato); tysen (eb), (ll. tatws, tato).

    potato black leg, gwrysg du'r tatws (ell).

    potato blight, malltod (eg) tatws; clwy (eg) tatws.

    potato cyst nematode, llyngyr tatws (ell); namatod (eg).

    Potato Marketing Board, Bwrdd Marchnata Tatws.

    potato root eelworm, llyngyr gwraidd y tatws (ell).

    potato tray, hambwrdd (eg) tatws, (ll. hambyrddau tatws).

    seed potato, tatws hadyd (ell); tatws had (ell).

potential, potensial (eg), -au; potensial (ans); dichonol (ans).

    lambing potential, potensial ŵyna.

poult, twrci (eg) ifanc, (ll. twrcïod ifainc).

poultice, sugaethan (eg); powltis (eg).

poultry, dofednod (ell); da pluog (ell); powltri (ell); ffowls (ell).

pound,   1. punt (eb), (ll. punnoedd/punnau).

              2. pwys (eg), -i.

powder, powdr (eg), -au.

    powdered, powdr (ans).

power, pŵer (eg), -au; gallu (eg), -oedd; nerth (eg), -oedd.

    power drive, gyriad (eg) pŵer; pŵer-yriant (eg); pŵer-ddreif (eg); nerthyriad (eg).

    power drive shafts, siafft (eb) pŵer-ddreif.

    power take-off, gwerthyd (eb) yrru, (ll. gwerthydoedd gyrru).

    power take off shaft, siafft (eb) y werthyd yrru.

    horse power, marchnerth (m.n.).

precaution, rhagofal (eg), -on.

precise, tra-chywir (ans).

    precision, tra-chywiredd (eg).

    precision chop, darnio tra-chywir.

    precision drill, dril tra-chywir.

    precision instruments, offerynnau tra-chywir.

predict, rhagfynegi (be).

prediction, rhagfynegiad (eg), -au.

pre-emergent, cyn-allddodol (ans).

pregnancy, beichiogrwydd (eg).

pregnancy diagnosis, diagnosis (eg) beichiogrwydd.

pregnancy toxaemia, clwy'r cyfeb (eg); syndod (eg).

Pregnant Mare Serum Gonadotrophin (P.M.S.G.), Serwm Gonadotroffin Caseg Gyfeb (eg).

premature, annhymig (ans); cynamserol (ans).

premium, premiwm (eg), (ll. premia).

annual premium, premiwm blynyddol.

at premium, ar bremiwm.

premolar, cilddant (eg) blaen, (ll. cilddannedd blaen).

prenatal, cynesgor (ans).

prepotency, rhag-rym (eg).

preservation/preserve, cadw (be).

pressure, gwasgedd (eg), -au; pwysedd (eg), -au.

air pressure, gwasgedd aer.

atmospheric pressure, gwasgedd atmosfferig.

high pressure, gwasgedd uchel.

low pressure, gwasgedd isel.

vacuum pressure, pwysedd gwactod.

pressure gauge, me(i)drydd (eg) gwasgedd; me(i)drydd pwysedd.

selection pressure, pwysedd dethol.

preventive, ataliol (ans).

preventive medicine, meddygaeth (eb) ataliol; meddygaeth warchodol.

price, pris (eg), -iau.

price mechanism, peirianwaith (eg) prisiau.

price movement, symudiadau prisiau.

buying price, pris prynu.

fixed price, pris penodedig; pris penodol.

selling price, pris gwerthu.

variable price, pris newidiol.

target price, nodbris; pris arfaethedig.

primary, cynradd (ans); primaidd (ans); sylfaenol (ans).

principle, egwyddor (eb), -ion.

private, preifat (ans).

probe, stilydd (eg), -ion; profiedydd (eg), -ion.

procedure, gweithdrefn (eb), -au.

proceeds (sales), derbyniadau (gwerthiant) (ell).

process, proses (eb), -au; prosesu (be).

process (bone), cnepyn (eg), -nau; cambwl (eg), (ll. cambylau).

processor, prosesydd (eg), -ion.

transverse process, cnepyn traws.

produce, cynnyrch (eg), (ll. cynhyrchion); cynhyrchu (be).

    producer (Ecol.), cynhyrchydd (eg), (ll. cynyrchyddion).

    producer-retailer, cynhyrchwr-mân-werthwr (eg),

    (ll. cynhyrchwyr-mân-werthwyr).

    product, cynnyrch (eg), (ll. cynhyrchion).

    production, cynnyrch (eg); cynhyrchu (be).

    productive, cynhyrchiol (ans).

    productivity, cynhyrchedd (eg); cynhyrchaeth (eb).

    by-product, sgîl-gynnyrch (eg), (ll. sgîl-gynhyrchion); is-gynnyrch,

    (ll. is-gynhyrchion).

    digestion products, cynhyrchion treuliad (ell).

    large-scale production, cynhyrchu ar raddfa fawr.

    mass production, masgynhyrchu; torethgynhyrchu.

profile, proffil (eg), -au.

    soil profile, proffil (eg) pridd.

profit, elw (eg), -on.

    profit and loss account, cyfrif (eg) elw a cholled.

    profit margin, lled/maint (eg) yr elw.

    profit taking, cymryd elw (be).

    profitable, buddiol (ans).

    profitability, proffidioldeb (eg).

    estimated profit, amcan (eg) elw.

    gross profit, elw crynswth.

    marginal return, elw ffiniol.

    net profit, elw clir; elw net; gwir elw.

    paper profit, elw ar bapur.

progeny, epil (eg), -iaid.

progesterone, progesteron (eg).

programme, rhaglen (eb), -ni.

progress, cynnydd (eg).

    technological progress, cynnydd technolegol.

projecting lugs, clustiau estynedig (ell).

projection (finance), blaenamcanu (be).

prolapse, dygwympiad (eg); llithriad (y groth) (eg).

    prolapse of uterus, bwrw'r/taflu'r famog; bwrw'r/taflu'r cwd (be).

    prolapse of vagina, bwrw'r/taflu'r llawes goch (be).

projection (e.g. villus), allaniad (eg), -au.

prong, fforch (eb), (ll. ffyrch); pig(yn) (eg), (ll. pigau).

-proof, gwrth- (ans).

    waterproof, gwrth-law; gwrthddŵr.

prop, ateg (eb), -ion.

    prop shaft, siafft (eb) yrru, (ll. siafftiau gyrru).

propagate, lledaenu (be).

    propagation, lledaeniad (eg), -au.

propane, propan (eg).

property, priodwedd (eb), -au; nodwedd (eb), -ion; eiddo (eg).
    properties, priodoleddau (ell); nodweddion (ell).

propionic acid, asid (eg) propionig.

proportion, cyfrannedd (eg), (ll. cyfraneddau).
    proportional, cyfrannol (ans); cyfraneddol (ans).
    proportional parts, cyfrannau (ell).
    correct proportion, cyfrannedd cywir.
    in (good) proportion, mewn cyfrannedd (da) (adf).
    well proportioned, o gyfrannedd da (ans).

prostate gland, chwarren (eb) brostad.
    prostatic, prostadol (ans).
    prostatitis, llid (eg) y prostad; prostatitis (eg).

protection, diffyniad (eg).
    protection tariff, diffyndollaeth (eb).
    protectionism, diffynnaeth (eb).
    protective coating, araen (eg) diogelu; araen amddiffyn.
    protective clothing, dillad gwarchod.
    protective wear, gwisg warchod (eb).

protein, protein (eg), -au; prodin (eg), -au.
    dietary protein, protein lluniaethol.
    digestible crude protein, protein (eg) crai treuliadwy.
    protein (1st class), protein cyflawn.
    protein (2nd class), protein anghyflawn.
    undegradable protein (UDP), protein anhreuliadwy.

Protozoa, Protozoa (ell).

protrude, ymwthio allan; sefyll allan.
    protrusion, ymwthiad allan (eg); yr hyn/y darn sy'n sefyll allan (eg).

prove, profi (be).

pseudo-, ffug-.

ptyalin, tyalin (eg); amylas poer (eg).

puberty, glasoed (eg); plwyniant (eg); rhag-aeddfedrwydd (eg).

puffy, chwyddog (ans).

pullet, cywen/cywennen (eb), (ll. cywennod).

pulley, pwli (eg), (ll. pwlïau).

pulmonary, ysgyfeiniol (ans); yr ysgyfaint.

pulp,   1. pwlp (ffrwythau) (eg).
           2. mwydion (papur) (ell).
           3. bywyn (dant) (eg).

    pulpy kidney disease, clwy'r aren bwdr (eg); trawiad (eg).

pulse,   1. (Bot.) codlysiau (ell); ffagbys (eg).
          2. (Medd.) curiad (eg), -au; curiad y galon.

    pulsate, pwlsadu (be).
    pulsation, curiadedd (eg).

pulsation rate, cyfradd curiadedd.

pulsator, pwlsadur (eg), -on.

pump, pwmp (eg), (ll. pympiau).

    exhaust pump, pwmp gwacáu.

    filter suction pump, pwmp (eg) sugno.

    force pump, pwmp grym.

    injection pump, pwmp mewnsaethu.

    lift pump, pwmp codi.

    suction pump, pwmp sugno.

punch,   1. tyllydd (eg), -ion; tyllu (clustiau) (be).

             2. pwns (eg), (ll. pynsiau); pwnsio (be).

pungent, llym (ans).

pupa/pupal stage, chwiler (eg); crysalis (eg).

pupil, cannwyll (eb) y llygad.

purchase, pryniad (eg), -au; pwrcas (eg), -iad, -au; prynu (be); pwrcasu (be).

    purchase tax, treth bwrcas (eb).

    hire purchase, hurbwrcasu (be).

pure, pur (ans).

    pure line/bred, llinach (eb) bur.

purgative, carthydd (eg), -ion.

purify, puro (be).

    purity (bact.), puredd (eg).

    purification, puriad (eg).

purlin, trawslath (eg), -au.

purulent, crawnog (ans); llinorog (ans); gorllyd (ans).

pus, crawn (eg); llinor (eg); gôr (eg).

push, gwthiad (eg), -au; gwthio (be).

    push-rod, rhoden (eb) wthio, (ll. rhodenni gwthio).

pustular, crawnog (ans); llinorog (ans).

    pustule, llinoryn (eg), (ll. llinorod).

putrefaction, madredd (eg).

    putrefy, madru (be); pydru (be).

    putrefying bacteria, bacteria madru (ell).

    putrid, madreddog (ans).

pyaemia, pyaemia (eg).

pylon, peilon (eg), -au.

pyloric, pylorig (ans).

    pylorospasm, pylorosbasm (eg).

    pylorus, pylorws (eg).

pyogenic, crawndarddol (ans).

    pyorrhoea, pyorea (eg); llid (eg) y gorchfannau.

pyramid, pyramid (eg), -iau.

pyrexia, poethder (eg); gwres (eg).

    pyrexial, poeth (ans).

Q

Q fever, twymyn Q (eb).

quadri-, cwadri-; pedwar-.

quadriplegic, parlys (eg) pedwar aelod; quadriplegia.

quadruped, pedwartroedyn (eg).

quadruplet, pedrybled (eg), -au; pedrybed (eg), -au; pedrwplet (eg), -au.

qualitative, ansoddol (ans).

    qualitative analysis, dadansoddiad (eg) ansoddol.

    quality, ansawdd (eg), (ll. ansoddau).

quantitative, meintiol (ans).

    quantity, mesur (eg); maint (eg); nifer (egb); swm (eg).

    quantity of soil, rhywfaint o bridd.

quarantine, neilltuaeth (eb); cwarantîn (eg); cyfnod arwahanu (eg).

quarter, chwarter (eg), -i.

quick action nut, nyten (eb) chwimwth, (ll. nytiau chwimwth).

    quick release mechanism, mecanwaith (eg) rhyddhad cyflym.

    quick release knot, cwlwm (eg) datod cyflym.

    quick return mechanism, mecanwaith (eg) dychwel cyflym.

    quickening, bywiocáu (be).

    quick-lime, calch (eg) brwd.

quota, cwota (eg), (ll. cwotâu); penodran (eb), -nau; dogn (eg), -au.

R

rabid, cynddeiriog (ans).

rabies, y gynddaredd (eb).

rabbit, cwningen (eb), (ll. cwningod).

race, rhedegfa (eb), (ll. rhedegfeydd).

    mill-race, ffrwd (eb) melin.

rachis, rachis (eg), -au; echelin (eg) dail.

rack and manger, rhesel (eb) a phreseb (eg), (ll. rheseli a phresebau).

    rack and pinion, rhesel a phiniwn (eb); rac a phiniwn (eb).

raddle, radl (eg), -au; radlo (be).

radial, rheiddiol (ans).

radiate,   1. rheiddio (be).

                  2. pelydru (be).

    radiation, pelydriad (eg), -au.

    radiation sickness, gwaeledd (eg) pelydriad.

    radiator, rheiddiadur (eg), -on.

radicle, cyn-wreiddyn (eg), (ll. cyn-wreiddiau).

radiculitis, radicwlitis (eg).

radioactive, ymbelydrol (ans).

    radioactivity, ymbelydredd (eg).

rafter, trawst (eg), -iau.

ragwort, llysiau'r gingroen (ell).

rainfall, glawiad (eg).

    rain-shadow, cysgod (eg) glaw, (ll. cysgodion glaw); ciliau glaw (ell); glawsgodfa (eb).

    rainwater, dŵr glaw.

rake (of tool), gwyredd (erfyn) (eg).

    rake (implement), cribin (eg), -iau; rhaca, (egb), -nau; cribinio (be).

    raking out, glanhau allan (be).

ram, hwrdd (eg), (ll. hyrddod); maharen (eg), (ll. meheryn).

    ram (of machine), hwrdd (eg); hyrddwr (eg).

    rammer, hyrddwr (eg), (ll. hyrddwyr).

    ram teaser, maharen datgelu; maharen ymlid; hwrdd datgelu; hwrdd ymlid.

ramp, ramp (eg), -iau.

ranching, ransio (be).

randomly select, dethol ar antur/ar hap/ar siawns/ar fympwy (be).

range, amrediad (eg), -au.

    range of temperature, amrediad tymheredd (eg).

    range of mountains, cadwyn (eb) o fynyddoedd.

    range of variations, amrediad (eg) yr amrywiadau.

rape, rêp (ell).

rarification, teneuad (eg); prinhad (eg).

rasp, rhathell (eb), -au; rasb (eb), -iau; rhathellu (be); rasbio (be).

rat (brown), llygoden (eb) fawr (frown), [ll. llygod mawr (brown)].

rat (black), llygoden fawr (ddu), [ll. llygod mawr (du)].

ratchet, clicied (eb) ddannedd.

>**ratchet brace,** carntro (eg) clicied.

>**ratchet drill,** dril (eg) clicied.

>**ratchet screwdriver,** tyrnsgriw (eg) clicied.

>**ratchet teeth,** dannedd (ell) clicied.

>**ratchet wheels,** olwyn (egb) clicied.

rate, cyfradd (eg), -au.

>**rate of growth,** cyfradd twf.

>**rate of interest,** cyfradd llog.

>**rate of water loss,** cyfradd colli dŵr.

>**rate of weight loss,** cyfradd colli pwysau.

>**rate per cent,** cyfradd y cant.

>**basic rate,** cyfradd sylfaenol.

>**current rate,** cyfradd cyfredol; cyfradd presennol.

>**differential rate,** cyfradd gwahaniaethol.

>**growth rate,** cyfradd tyfiant; cyfradd twf.

>**reproduction rate,** cyfradd atgenhedlu; cyfradd atgynhyrchu.

>**transpiration rate,** cyfradd trydarthu.

>**ventilation rate,** cyfradd anadlu.

>**wage rate,** cyfradd cyflog.

ratio, cymhareb (eb), (ll. cymarebau).

>**gear ratio,** cymhareb (eb) gêr.

>**in the ratio,** yn ôl y gymhareb.

ration, dogn (eg), -au.

>**rationing,** dogni (be).

>**maintenance ration,** dogn cynhaliaeth.

>**production ration,** dogn cynhyrchiant.

raw materials, defnyddiau crai (ell).

>**raw milk,** llefrith (eg) crai; llaeth (eg) crai.

reabsorption (renal), adamsugniad (eg).

reactant, adweithydd (eg), -ion.

>**reaction,** adwaith (eg), (ll. adweithiau).

>**reactive,** adweithiol (ans).

>**chain reaction,** adwaith cadwynol.

reading, darlleniad (eg), -au.

readjust, ailgymhwyso (be).

ready-reckoner, cyfrifydd (eg) parod.

real, real (ans); gwir (ans).

rear, magu (be).

rebate, ad-daliad (eg), -au; dataliad (eg), -au.

recede, encilio (be).

receipt, derbynneb (eb), (ll. derbynebau).

receipts, derbyniadau (ell).

receiver, derbynnydd (eg), (ll. derbynyddion).

receptacle,   1. llestr (eg), -i; padell (eb), (ll. -i; -au; pedyll); dysgl (eb), -au.

        2. (blodyn) cynheilydd (eg), (ll. cyneilyddion).

receptor, derbynnydd (eg), (ll. derbynyddion).

   receptor site, derbynle (eg).

recession, dirwasgiad (eg), -au; enciliad (eg), -au.

   recessive, enciliol (ans); encil (ans).

   recessive factors, ffactorau encil (ell).

reciprocate, cilyddu (be).

   reciprocating motion, mudiant (eg) cilyddol; mudiant cilyddus.

reclaim, adennill (be); adfer (be); ailennill (be).

   reclaimed, wedi ei adennill; adferedig (ans).

   reclamation, adennill (eg), (ll. adenillion); adfer (eg), -ion.

recoil, adlam (eg), -au; adlamu (be).

recommended daily amount (of a nutrient), maint (eg) beunyddiol argymelliedig.

reconcile, cysoni (be).

recondition, adnewyddu (be); trwsio (be); atgyweirio (be).

record, cofnod (eg), -ion; record (eg), -iau; cofnodi (be); recordio (be).

recovery, adferiad (eg), -au.

rectal, rhefrol (ans); rectol (ans).

   rectum, rhefr (eg); rectwm (eg).

recumbent, ar lawr; yn gorwedd.

red blood cell, cell (eb) goch y gwaed, (ll. celloedd coch y gwaed).

   red blood cell count, cyfrifiad (eg) celloedd coch y gwaed.

   red blood corpuscle, corffilyn (eg) coch y gwaed, (ll. corffilod coch y gwaed).

   red blood corpuscle count, cyfrifiad corffilod coch y gwaed.

red shank, coes (eb) goch.

red-water, dŵr (eg) coch.

reduce, gostwng (be).

   reduction, gostyngiad (eg), -au.

   reduced price, pris (eg) gostyngol, (ll. prisiau gostyngol).

reed, corsen (eb), -nau.

reel, rîl (eb), -iau.

   pick up reel, rîl godi.

reference, cyfeirnod (eg), -au.

refining, puro (be).

reflation, adchwyddiant (eg).

reflex, atgyrch (eg), -au; atgyrchol (ans).

   reflex action, gweithred (eb) atgyrch.

   conditioned reflex, atgyrch cyflyredig.

reflux, adlifiad (eg), -au; adlifol (ans); adlifo (be).

reforestate, ail goedwigo (be); ailfforestu (be).

refrigerate, rheweiddio (be); oeri (be); rhewi (= freeze) (be).

refrigerated (sample), (sampl) rheweiddiedig (ans).

refrigeration, rheweiddiad (eg).

refrigerator, oergell (eb), -oedd.

regenerate, adfywhau (be); atgynhyrchu (be); atffurfio (be).

    regeneration, adfywhad (eg); atgynhyrchiad (eg); atffurfiant (eg); atgyflyru (be).

register, cofrestr (eb), -i, -au; cofrestru (be).

    movement of animals register, cofrestr symud anifeiliaid.

regrade, ailraddio (be).

regulate, rheoli (be).

    regulation, rheol (eb), -au; rheoliad (eg), -au.

    regulator, rheolydd (eg), -ion.

    safety regulation, rheol ddiogelwch.

regurgitate, dadlyncu (be); codi cil (be).

    regurgitation, dadlynciad (eg); codi cil (be).

reinforce, atgyfnerthu.

    reinforcement, atgyfnerthiad (eg), -au.

    reinforced concrete, concrit (eg) cyfnerth.

rejection, ymwrthiant (eg).

relapse, ail bwl (eg); atglafychiad (eg).

    to relapse, dioddef/cael ail bwl o ... ; atglafychu (be).

relax, ymlacio (be).

    (muscle) relaxation, llaesu (cyhyr).

relay, relái (eg).

release, rhyddhau (be).

    release valve, falf (eb) ryddhau.

relief, tirwedd (eb).

    relief (income tax), cymorth (eg), (ll. cymhorthion); gostyngiad (Econ.) (eg).

removable, symudadwy (ans).

    remove, symud (be).

renal, arennol (ans).

render, rendrad (eg).

renew, adnewyddu (be).

    renewal, adnewyddiad (eg), -au.

rennin, rennin (eg).

rent, rhent (eg), -i; rhentu (be).

repair, cyweiriad (eg), -au; cyweirio (be); atgyweiriad (eg), -au; atgyweirio (be); trwsio (be).

repay, ad-dalu (be).

    repayment, ad-daliad (eg), -au.

repeat, ail + berf, e.e., ailadrodd; ailddweud; ailwneud.

replace, amnewid (be); cyfnewid (be); allosod (be).

    replacement, allosodyn (eg), -nau; amnewidyn (eg), -nau.

    replacement, anifail (eg) cyfnewid.

    replacement costs, costau (ell) cyfnewid.

replacement ewes, mamogiaid (ell) cyfnewid.

replacement heifer, heffer (eb) gyfnewid.

report, adroddiad (eg), -au; cofnod (eg), -ion; adrodd (be); cofnodi (be).

reproduce, 1. (Cyffredinol) atgynhyrchu (be).

2. (Biol.) atgenhedlu (be); cenhedlu (be).

3. epilio (be).

reproduction, atgynhyrchiad (eg); atgenhedliad (eg); epiliad (eg).

reproductive organs, organau atgynhyrchu/atgenhedlu (ell).

asexual reproduction, atgynhyrchiad anrhywiol.

male reproductive cell, cell (eb) atgenhedlol wrywol.

vegetative reproduction, atgynhyrchiad llystyfol.

requirements, gofynion (ell).

resect, echdorri (be).

resection, echdoriad (eg), -au.

re-seed, ailhadu (be).

direct re-seeding, ailhadu uniongyrchol (be).

open seeding, hadu agored (be).

undersowing, hau dan gnwd (be); tan-hau (be).

reserve (food), storfa (eb) fwyd, (ll. storfeydd bwyd).

reserve (nature), gwarchodfa (eb) natur, (ll. gwarchodfeydd natur).

reserves, 1. gwarchodle (eg), -oedd; gwarchod (be).

2. adnoddau wrth gefn (ell).

reservoir, cronfa (eb) (ddŵr), [ll. cronfeydd (dŵr)].

oil reservoir, cronfa olew (eb).

residual, gweddillol (ans).

residue, gweddill (eg), -ion.

residual deposits, dyddodion (ell) gweddill.

resistance, ymwrthedd (eg); gwrthiant (eg).

resistant, gwrthiannol (ans); ymwrthiannol (ans); gwydn (ans).

resistance, gwydnwch (eg).

resorb, adsugno (be).

resorption, adsugnad (eg).

resources, adnoddau (ell).

respiration, resbiradaeth (eb).

anaerobic respiration, resbiradaeth anaerobig.

respiratory, resbiradol (ans); anadliadol (ans).

respire, resbiradu (be).

response, ymateb (eg), -ion.

restrain, dal yn llonydd (be).

restrict, cyfyngu ar (be).

restriction, cyfyngiad (eg), -au.

restrictive practices, arferion (ell) rhwystrol.

result, canlyniad (eg), -au.

resulting, canlynol (ans).

resulting from, o ganlyniad i; yn deillio o ...

retail, adwerthol (ans); adwerthu (be).

retailer, adwerthwr (eg), (ll. adwerthwyr).

retain, dargadw (be).

retain its shape, yn cadw ei ffurf.

retention, dargadwedd (eg).

retention (of iron by the tissues), dargadwedd (haearn gan y meinweoedd).

retention of urine, ataliad (eg) dŵr.

reticulum, reticwlwm (eg); ailstumog (eg).

retina, retina (eg); rhwyden (eb).

return (statement), mantolen (eb), -ni.

return stroke, strôc (eb) ddychwel, (ll. strociau dychwel).

returns (earnings), adenillion (ell).

bank return, mantolen y banc.

diminishing returns, enillion lleihaol.

idle return stroke, strôc ddychwel segur.

increasing returns, enillion cynyddol.

quick return action, gweithred ddychwel gyflym.

weekly return, mantolen wythnosol.

revaluation, adbrisiad (eg), -au; ailbrisiad (eg), -au.

revenue, cyllid (eg), -au.

reverse, gwrthdro (eg), -eon; cildroi (be); cildroad (eg).

reverse, gwrthdroi (be).

reversible, cildroadwy (ans); cildro (ans); gwrthdroadwy (ans).

reversible plough, aradr cildro; gwŷdd cildro.

revolve, chwyldroi (be); cylchdroi (be).

revolution, cylchdro (eg), -eon, -adau.

rewind, ailddirwyn (be); ailweindio (be).

rhinitis, llid (eg) y ffroenau.

rhinorrhœa, ffroenlif (eg).

rhizoid, rhisoid (eg); coegwreiddyn (eg).

rhizome, rhisom (eg), -au; gwreiddgyff (eg).

rhododendron, rhododendron.

rhyncosporium, rhyncosporiwm (eg).

rib, asen (eb), -nau; ais (ell).

ribcage, cawell (eg) asennau; y byrrais (ell).

rickets, y llech (eb), (ll. llechau).

ridge, cefnen (eb), -au; cefn (eg), -au; trum (eg), -(i)au; crib (eb), -au.

ridge (planting), rhych (eb), -au; rhychu (be).

ridge and furrow relief, tirwedd (eg) cefnen a rhych.

ridges and swales, cefnau a phantiau (ell).

ridge of high pressure, cefnen (eb) o wasgedd uchel.

right of way, hawl (eb) tramwy, (ll. hawliau tramwy); llwybr (eg) cyhoeddus, (ll. llwybrau cyhoeddus).

rigid, anhyblyg (ans); anystwyth (ans).

rigidity, anhyblygrwydd (eb); anystwythder (eg).

rim, ymyl (egb), -on; rhimyn (eg), -nau; cantel (eg), -au.

ring (annual), cylch (eg), -au; modrwy (trwyn) (eb), -au; cylch (eg) blynyddol, (ll. cylchoedd blynyddol).

ring fence, cylchffens (eb).

ring gauge, me(i)drydd (eg) torch, (ll. me(i)dryddion torch).

ring spanner, sbaner (eg) cylch, (ll. sbaneri cylch).

ringworm, darwden (eb), -nau; derwreinen (eb), (ll. derwreinod).

ringed, cylchog (ans).

sealing ring, cylch selio.

piston rings, cylchau piston (ell).

rinse, rins (eg), -iau; rinsio (be).

risk, ment(e)r (eb), (ll. mentrau); risg (eg), -iau.

rivet, rhybed (eg), -ion; rhybedu (be).

rivetted, rhybedog (ans).

rock, craig (eb), (ll. creigiau).

rod (eye), rhoden (eb), -ni.

rods and cones, rhodenni a chonau.

connecting-rod, rhoden gyswllt.

track rod, rhoden lwybro; rhoden lywio.

rodent, cnofil (eg), -od.

rodent infestation, pla (eg) cnofilod.

roguing, chwynnu (be).

hand roguing, chwynnu â llaw.

roll, rholyn (eg), (ll. rholiau); rholio (be); r(h)owlio (be).

roller, rholydd (eg), -ion; rhowl (eg), -iau; rholer (eg), -i.

roller bearing, rholferyn (eg), -nau.

feed rollers, rholeri bwydo.

flat roller, rhowl fflat.

ribbed roller, rhowl rhesog.

roof, to (eg), -eau; -eon.

roof lights, goleuadau to (ell).

roof line, llinell toeau.

roof truss, cwpl (eg) to.

double pitch roof, to dau godiad.

lean-to roof, to ar oledd.

pitch of roof, codiad (eg) to; serthiant (eg) to.

pitched roof, to ar ongl.

single pitch roof, to un codiad.

root, gwreiddyn (eg), (ll. gwreiddiau); gwraidd (ll. gwreiddiau).

root cap, gwreiddgapan (eg), -au.

root hair, gwreiddflewyn (eg), (ll. gwreiddflew).

root nodules, gwreiddgnepynnau (ell).

root pressure, gwreiddwasgedd (eg).
root tip, blaenwreiddyn (eg), (ll. blaenwreiddiau).
root vegetables, gwreiddlysiau (ell).
rooted plant, planhigyn gwreiddiog (eg).
rootlet, gwreiddiosyn (eg), (ll. gwreiddios).
adventitious root, adwreiddyn (eg).
contractile root, gwreiddyn cyfangol.
fibrous root, gwreiddyn ffibrog.
lateral root, gwreiddyn ochrol.
motor root (nerve), gwreiddyn echdygol.
tap root, prif wreiddyn.
rot, pydredd (eg); malltod (eg); pydru (be); mallu (be).
rotary, cylchdro (ans).
rotary cultivation, triniaeth (eb) amdro.
rotate, cylchdroi (be).
rotation, cylchdro (eg), -adau.
rotation of crops, cylchdro cnydau.
rotational grazing, pori (eg) cylchdro.
rotor; rotor (eg), -au.
rotavator, pridd-drinydd (amdro) (eg); cylchdrowr (eg).
rough, garw (ans); bras (ans).
rough grazing, porfeydd garw (ell).
rough pasture, porfa (eb) arw, (ll. porfeydd garw).
roughage, carthfwyd (eg), -ydd; brasfwyd (eg), -ydd; garwfwyd (eg), -ydd.
strip grazing, llain bori (be).
roundworm, llyngyren (eb) gron, (ll. llyngyr crwn).
routine, rheolwaith (eg); rhigolaeth (eb), -au; rhigolaidd (ans).
row, rhes (eb), -i.
rubber, rwber (eg).
rubber ring, modrwy (eb) rwber, (ll. modrwyau rwber).
rubble, rwbel (eg).
rudimentary, (organ, etc), elfennol (ans); anghyflawn (ans); cyntefig (ans).
rumen, rwmen/rhwmen (eg); blaenstumog (eg).
ruminant, anifail (eg) cilgno; cilfilyn (eg), (ll. cilfilod); anifail cnoi cil.
ruminate, cnoi cil (be).
rump, rwmp (eb); cloren (eb), -nau.
run, libart (eg), -au; rhediad (eg), -au.
runner, (Bot.) ymledydd (eg), -ion.
running with, allan gyda; rhedeg gyda.
run-off, dŵr (eg) ffo, (ll. dyfroedd ffo).
run-off factor, ffactor (eg) draenio ymaith.
rupture, torgest (eb); torlengig (eg); rhwyg (eg), -iadau; ymdorri (e.e., cell yn ymdorri) (be); (Medd.) torri llengig (be); rhwygo (be).
rural, gwledig (ans).

rush, brwynen (eb), (ll. brwyn).
rust, (Cem.) rhwd (eg); rhydu (be).
    rust (plant disease), y gawod (eb) goch; (y gawod lwyd = mildew).
    rustproof, gwrthrwd (ans).
    rusted, rhydlyd (ans); wedi rhydu (ans).
    rusty, rhydlyd (ans).
rye, rhyg (eg).
    rye grass, rhygwellt (ell)
    forage rye, rhyg porthi.
    Italian ryegrass, rhygwellt Eidalaidd.
    perennial ryegrass, rhygwellt parhaol; rhygwellt perennial; rhygwellt lluosflwydd.

sac, coden (eb), -ni, -nau.

    saccular, codennog (ans).

sack, sach (eb), -au; ffetan (eb), -au; bag (eg), -iau.

sacrum, crwper (eg); sacrum (eg).

    sacral, crwperol (ans); y sacrwm.

    sacral vertebrae, fertebrau'r sacrwm (ell).

safety, diogelwch (eg).

    safety cab/frame, cab (eg) diogelwch; ffrâm (eb) ddiogelwch.

    safety guard, diogelydd (eg); gwarchodydd (eg); gard (eg) diogelwch.

    safety precautions, rhagofalon (ell) diogelwch.

    safety regulations, rheolau (ell) diogelwch.

    safety screen, sgrîn (eb) ddiogelu.

    safety standards, safonau (ell) diogelwch.

    safety switch, swits (eg) diogelwch.

    safety-valve, falf (eb) ddiogelwch.

sale, gwerthiant (eg), (ll. gwerthiannau); sêl (eg).

    auction sale, arwerthiant (eg), (ll. arwerthiannau).

saline, heli (eg); halwynog (ans).

    salinity, halwynedd (eg).

    saline solution, toddiant (eg) halwynog; toddiant heli.

saliva, salifa (eg); poer (eg); glafoerion (ell).

    saliva gland, chwarren (eb) boer.

    salivary, salifaidd (ans); glafoerol (ans).

    salivate, salifo (be); glafoerio (be).

salmonellosis, salmonelosis (eg).

salt,   1. (sodiwm clorid) halen (eg).

                2. halwyn (eg), -au.

    salty, hallt (ans).

saltpetre, solpitar (eg).

sample, sampl (eb), -au; samplu (be).

    random sample, sampl ar antur; sampl ar siawns; hapsampl (eb).

sand, tywod (ell).

    sandstone, tywodfaen (eg), (ll. tywodfeini).

sanitary, iechydol (ans).

    sanitation, iechydeg (eb).

sap, nodd (eg), -ion.

sapling, glasbren (eg), -nau.

saprophyte, saproffyt (eg), -au; saproffytig (ans).

saturate, dirlenwi (be); hydrwytho (be); trwytho (be).

    saturated, dirlawn (ans).

    saturated fatty acid, asid (eg) brasterog dirlawn.

    saturation, dirlawnder (eg).

saving, cynilion (ell); arbediad (eg), (ll. arbedion); cynilo (be); arbed (be).

saw, llif (eb), -iau; llifio (be).

    saw cut, llifdoriad (eg), -au; llifiad (eg), -au.

    sawdust, blawd (eg) llif; llwch (eg) llif.

    saw-frame, ffrâm (eb) lif, (ll. fframiau llif).

    saw teeth, dannedd (ell) llif.

    circular saw, llif gron.

    hacksaw, haclif; llif fetel.

scabies, y crafu (eg).

scald, sgaldiad (eg), -au; sgaldanu (be); sgaldian (be); sgaldio (be).

scale,   1. cen (eg), -nau.

             2. graddfa (eb), (ll. graddfeydd).

    scale leaf, cenddeilen (eb), (ll. cenddail).

    scale, clorian (eb), -nau.

scallop edge, ymyl (egb) sgolop.

scan, corfannu (be); sganio (be).

    scanning, corfaniad (eg), -au.

    scanner, corfannydd (eg).

scape, llun (eg), -iau; gwedd (eb), -au.

    farmscape, ffermlun (eg), -iau; ffermwedd (eb), -au.

    landscape, tirlun (eg), -iau.

scapula, padell yr ysgwydd (eb); sgapwla (eg).

scar, craith (eb), (ll. creithiau).

    girdle scar, craith gylchog.

    leaf scar, craith ddeilen.

    scar tissue, creithfeinwe (eg).

scarcity, prinder (eg).

scavenge, carthysu (be).

    scavenger, carthysydd (eg), -ion.

scenery, golygfa (eb), (ll. golygfeydd).

scion, brigyn impiedig (eg), (ll. brigau impiedig).

scission, toriant (eg), (ll. toriannau).

scoop, sgŵp (eg), (ll. sgwpiau).

scorch, llosgi (be); rhuddo (be); deifio (be).

score, sgôr (eg), (ll. sgoriau); sgorio (be).

    condition score, cyflwr-sgôr (eg); cyflwr-sgorio (be).

scour,

    white scours, clwyf (eg) gwyn; ysgoth (gwyn) (eg).

scrap metal, metel (eg) sgrap, (ll. metelau sgrap); sborion (ell) metel; sbwriel (eg) metel.

scrape, sgrafellu (be); crafu (be).

    scraper, sgrafell (eb), -i; crafwr (eg), (ll. crafwyr).

scrapie, yr ysfa (eb).

screen, ysgrîn (eb); sgrîn (eb); ysgrinio (be).

screening, ysgriniad (eg), -au.

screw, sgriw (eb), -iau; sgriwio (be).

    screw thread, edau (eb) sgriw.

    screw bleed, sgriw (eb) waedu.

    screwdriver, tyrnsgriw (eg), -iau; sgriwdreifar (eg).

scrotal, ceillgydol (ans).

    scrotum, ceillgwd (eg), (ll. ceillgydau); sgrotwm (eg).

scrub, prysg (eg).

    scrubland, tir (eg) prysg.

scum, llysnafedd (eg), -au.

scurvy, y llwg (eg); y sgyrfi (eg); y clefri poeth (eg).

seat, eisteddle (eg), -oedd; sedd (eb), -au; sêt (eb), (ll. seti).

    valve seat, eisteddle falf.

seaweed, gwymon (eg).

sebaceous gland, chwarren (eb) swyfaidd; chwarren sebwm.

secondary, eilradd (ans); eilaidd (ans).

secrete, secretu (be); rhinio (be).

    secretion, secretiad (eg); rhiniad (eg); chwarenlif (eg).

section, (Biol.) toriad (eg), -au.

    sectional view, golwg (eg) toriadol.

sediment, gwaddod (eg), -ion; gwaddodi (be).

    sedimentation, gwaddodiad (eg); gwaelodi (be).

seed, hedyn (eg), (ll. hadau).

    seeds, had (eg), -au.

    seed-bed, hadwely (eg).

    seed-coat, hadgroen (eg); testa (eg).

    seed-corn, ŷd hau (ell); ŷd hadyd (ell).

    seed dressing, triniaeth had; dresin (eg) had; dresio had (be).

    seed-potatoes, tatws had (ell).

    seed rate, cyfradd (eg) hau.

    seedling, eginblanhigyn (eg), (ll. eginblanhigion).

    basic seed, had (e.torf) sylfaenol.

    bean seed, ffeuen (eb), (ll. ffa).

    certified seed, had ardyst (eg).

    false seed-bed, hadwely (eg) gau.

    first generation certified seed, cenhedlaeth (eb) gyntaf o had ardyst.

    higher voluntary standard seed, hadau safon uwch gwirfoddol.

    multiseeded, amlhadog (ans).

    pre-basic seed, had (e.torf) cyn-sylfaenol.

    second generation certified seed, ail genhedlaeth o had ardyst.

    single seeded, unhadog (ans).

    slot seeding, agen-hadu (be).

    sod seeding, tywyrch-hadu (be).

seep, tryddiferu (be).

seepage, tryddiferiad (eg).

seize up, llwyr-lynu (be); glynu'n dynn (be).

selective, detholus (ans); detholiadol (ans).

    selective grazing, pori detholiadol (be).

    selective weed-killer, chwynleiddiad (eg) detholus.

    non-selective, annetholus (ans).

    selectivity, detholedd (eg).

selenium, seleniwm (eg).

self-, hunan-.

    self-feed, hunan-borthi (be).

    self-fertilisation, hunan-ffrwythloniad.

    self-pollination, hunan-beilliad.

    self-sufficient, hunangynhaliol (ans).

    self-sufficiency, hunangynhaliaeth (eb).

seller, gwerthwr (eg), (ll. gwerthwyr).

semen, hadlif (eg); semen (eg); had gwryw (eg).

    seminal, semenaidd (ans); semenol (ans).

    seminal fluid, hylif (eg) semenaidd/semenol.

    seminal vesicle, chwysigen (eb) yr hadlif; fesigl semenaidd/semenol (eg).

    seminiferous tubule, tiwbyn (eg) semen.

semi-automatic, hanner awtomatig (ans).

    semi-intensive, lled-arddwys (ans).

    semi-permeable, lledathraidd (ans).

sense organ, organ (eb) synhwyro, (ll. organau synhwyro).

sensitivity (irritability), sensitifedd (eg); ymatebolrwydd (eg).

sensory, synhwyraidd (ans).

    sensory nerve, nerf (eb) synhwyraidd/synhwyro.

sepal, sepal (eg), -au.

separate, gwahanu (be); ar wahân (ans).

    separated, gwahanedig (ans).

    separation, gwahaniad (eg), -au.

    separating funnel, twmffat (eg) gwahanu, (ll. twmffatau gwahanu); twndis (eg) gwahanu, (ll. twndisau gwahanu).

sepsis, sepsis (eb).

    septic, septig (ans).

    septicaemia, septisemia (eg).

septoria, septoria (eg).

septum, gwahanfur (eg), -iau; parwyden (eb), -nau.

sequence, dilyniant (eg), (ll. dilyniannau).

    sequence of operations, trefn (eb) y gweithrediadau.

series, cyfres (eb), -i.

serous, serws (ans).

    serous membrane, pilen (eb) serws.

serrated, danheddog (ans).

serrated edge, ymyl (ebg) ddanheddog/danheddog.

serum, serwm (eg), (ll. sera).

serve, service, serfio (be); serfiad (eg), -au.

    hold to service, sefyll tarw (be).

set (of saw), gosodiad (eg) (llif); gosod (be) (llif).

    set-aside, neilldir (eg), -oedd.

    set on, hysian (be); hysio (be).

    set up/assemble (apparatus), cydosod (be).

sewage, carthion (ell); carthffosiaeth (eb).

sex, rhyw (eg), -iau.

    sex chromosomes, cromosomau rhyw (ell).

    sex determination, penderfynaeth (eb) rhyw.

    sex linkage, cysylltedd (eg) rhyw.

    sex linked, rhyw-gysylltiedig (ans).

    sexual, rhywiol (ans).

    sexual selection, detholiad (eg) rhywiol.

shackle, gefyn (eg), -nau.

    shackle pin, pin (eg) gefyn, (ll. pinnau gefyn).

shade, cysgod (eg), -ion.

shaft, siafft (eb), -iau; gwerthyd (eb), -oedd.

    flexible shaft, siafft hyblyg; gwerthyd hyblyg.

shallow, bas (ans).

shape, ffurf (eb), -iau; siâp (eg), (ll. siapiau).

share, cyfran (eb), -nau; rhannu (be).

    share (plough), swch (eb), (ll. sychau).

    share cropping, cyfran-gnydio (be).

    shareholder, cyfranddaliwr (eg), (ll. cyfranddalwyr).

sharp, llym (ans); miniog (ans).

    sharp edge, awchlym (ans).

    sharpen, hogi (be); minio (be); awchu (be).

shatter, dryllio (be).

sheaf, ysgub (eb), -au.

shear, croeswasgiad (eg); croesrym (eg); croeswasgu (be); croesrwygo (be); llafnu (be); siero (be); cneifio (be).

    shearing machine, peiriant (eg) cneifio; peiriant (eg) llafnu.

    shearing stress, diriant (eg) croesrym.

    shear pin, pin (eg) torri.

shearling, hesbin (egb), -od; dafad flwydd (eb).

shed, dihidlo (be).

sheep, dafad (eb), (ll. defaid).

    sheep-dip, dip (eg) defaid, (ll. dipiau defaid).

    sheepdog, ci (eg) defaid, (ll. cŵn defaid).

    sheepfold, corlan (eb), -nau; ffald (eb), -au; lloc (eg), -iau.

    sheep pox, brech (eb) y ddafad.

sheep scab, clafr (eg) defaid.

sheepwalk, cynefin (eg) defaid, (ll. cynefinoedd defaid); defeidiog (eb), -au.

breeding sheep, mamogiaid (ell).

fat sheep, defaid tew (ell).

oestrum sheep, dafad yn maharenna; dafad yn rhydio.

store sheep, defaid stôr (ell).

sheet, llen (eb), -ni.

shelter-belt, llain (eb) gysgodi, (ll. lleiniau cysgodi).

shelter seeking, cysgotgar (ans).

shepherd, bugail (eg), (ll. bugeiliaid).

shepherding, bugeilio (be).

shippon, beudy (eg), (ll. beudái).

shiver, cryndod (eg), -au; rhyndod (eg); crynu (be); rhynnu (be).

shivering, cryd (eg), -iau; cryndod (eg); ysgryd (iant) (eg); achryd (eg).

shock, ysgytwad (eg), -au; (cyflwr) sioc (eg).

shoe,   1. esgid (eb), -iau.

               2. pedol (eb), -au; pedoli (be).

shoot, cyffyn (eg).

grafted shoot, cyffyn impiedig.

short circuit, cylched (eb) fer (eb); cylched bwt; pwtgylchedu (be); pwtio (be).

shoulder, ysgwydd (eb), -au.

collar-bone, pont (eb) yr ysgwydd.

shoulder girdle, gwregys (eg) yr ysgwydd.

shovel, rhaw (eb), -iau; (ll. rhofiau).

shrub, llwyn (eg), -i; prysgwydd (ell).

shutter, caead (eg), -au; clawr (eg), (ll. cloriau); sgrîn (eb), (ll. sgriniau).

sibling, sibling (eg), -au.

sick, gwael (ans); tost (ans); sâl (ans); claf (ans).

side-effect, sgîl-effaith (eb), (ll. sgîl-effeithiau).

side product, sgîl gynnyrch (eg).

sieve (for sifting), gogr (eg), -au; rhidyll (eg), -au.

sight, golwg (eg).

sign, arwydd (eg), -ion.

significance, arwyddocâd (eg).

silage, silwair (eg), (ll. silweiriau).

silage face, wyneb (eg) y silwair; talcen (eg) silwair.

arable silage, silwair âr.

self-feed silage, silwair hunan-borthi.

silencer, tawelydd (eg), -ion.

silo, seilo (eg).

tower silo, seilo twr.

silt, silt (eg); siltio (be).

silverside, ochr (eb) las y rownd.

similarity, tebygrwydd (eg).

sinew (ligament), gewyn (eg), -nau; giewyn (eg), (ll. gïau).
    sinewy (ligamentous), gewynnol (ans).
single, sengl (ans).
    single celled, ungellog (ans).
    single seeded, unhadog (ans).
    single suckler herds, buchesau sugno un llo.
    singles, senglau (ell).
    singling, unigoli (be).
sinus, sinws (eg), (ll. sinysau).
siphon (syphon), siffon (eg), -au.
    thermo-siphon, thermo-siffon (eg).
sire, tad (eg).
sirloin, arlwyn (eg).
skeleton, ysgerbwd (eg), (ll. ysgerbydau).
    appendicular skeleton, ysgerbwd atodol.
    axial skeleton, ysgerbwd echelinol.
    endoskeleton, ysgerbwd mewnol.
    exoskeleton, ysgerbwd allanol.
skilful, medrus (ans); sgilgar (ans).
    skill, medr (eg), -au; sgil (eg), -iau.
    skilled, crefftus (ans); medrus (ans).
    highly skilled, tra chrefftus; tra medrus.
    semi-skilled, lled grefftus; lled fedrus.
skin, croen (eg), (ll. crwyn); blingo (be).
skull, penglog (eb), -au.
slabs, slabiau (ell).
slack, llac (ans).
    slacken (ligament), llacio gewyn (be).
    slackness, llacrwydd (eg).
    excessive slackness, llacrwydd gormodol.
slake (lime), slecio (be).
slant, goledd (eg), -au; goleddu (be); gogwydd (eg); gogwyddo (be).
sledgehammer, gordd (eb), (ll. gyrdd).
sleeping, ynghwsg; yn cysgu.
sleet, eirlaw (eg).
sleeve, llawes (eb), (ll. llewys).
slime, llysnafedd (eb), -au.
    slime fungi, ffyngau llysnafedd (ell).
slope, llethr (eb), -au; llechwedd (eg), -au, -i.
    gentle slope, llethr esmwyth.
    steep slope, llethr serth.
slot, agen (eb), -nau; slot (eg), -iau; rhigol (eb), -au.
    slot seeding, agen-hadu (be).
sludge cock, tap baw (eg).

slug, gwlithen (eb), (ll. gwlithod); gwlithfalwen (eb), (ll. gwlithfalwod).
    black slug, gwlithen ddu.
slurry, slyri (eg); biswail (eg).
    slurry lagoon, llyn (eg) slyri/biswail.
    slurry tanker, tancer slyri (eb), (ll. tanceri slyri).
small holdings, mân ddaliadau (ell).
    small intestine, coluddyn (eg) bach, (ll. coluddion bach).
smooth, llyfn (ans); llyfnhau (be).
    smooth muscle, cyhyr (eg) anrhesog, (ll. cyhyrau anrhesog).
smut, y penddu (eg); smwt (eg).
    smutted wheat, gwenith penddu (eg).
snail, malwen (eb), (ll. malwod).
    mud snail, malwen y gors.
sneeze, tisian (be); trwsian (be); taro untrew (be).
sniff, ffroeni (be); ffroeniad (eg).
snow, eira (eg).
    snowline, eirlin (eg), -au.
soak, mwydo (be).
    soaked, mwydog (ans); wedi'i fwydo/wedi'u mwydo.
socket,   1. soced (eg), -au, -i.
               2. (llygad) twll (eg), (ll. tyllau).
               3. (cymal) crau (eg), (ll. creuau).
    socket spanner, sbaner (eg) soced.
soda, soda (eg).
    caustic soda, soda brwd.
    washing-soda, soda golchi.
sodium, sodiwm (eg).
soft tissue, meinwe (eg) meddal; cnodwe (eg) meddal.
soil, pridd (eg), -oedd.
    soil erosion, erydiad (eg) pridd.
    soil gley, pridd glei.
    soil injection, mewnsaethiad pridd.
    soil profile, proffil (eg) pridd.
    soil science, gwyddor (eb) y pridd.
    soil structure, adeiledd (eg) pridd.
    soil texture, gweadedd (eg) pridd, (ll. gweadeddau pridd).
    acidic soil, pridd asidig.
    clay soil, pridd clai.
    forest soils, fforestbriddoedd.
    loam/loamy soil, pridd lôm; pridd lomog.
    meadow soils, dolbriddoedd.
    organic soil, pridd organig.
    pasty soil, pridd pastog.
    peaty soil, pridd mawnog.

sandy soil, pridd tywodlyd.

silty soil, pridd silt.

solder, sodr (eg), -au.

    solder and braze, sodro a phresyddu (be).

    soldered, sodrog (ans); wedi'i sodro (ans).

    soldering-iron, haearn (eg) sodro, (ll. heyrn sodro).

sole, gwadn (eg), -au.

solenoid, solenoid (eg), -au.

solid, solid (eg), -au; solid (ans).

    solidify, ymsolido (be).

    solids-not-fat, sylweddau nad ydynt fraster; sylweddau nid braster; soledau-nid-braster (ell).

solstice, Troad (eg) y Rhod; heuldro (eg), -adau.

    summer solstice, heuldro'r haf.

    winter solstice, heuldro'r gaeaf.

soluble, toddadwy (ans); hydawdd (ans).

    solubility, hydoddedd (eg); toddadwyedd (eg).

solution, toddiant (eg), (ll. toddiannau).

solvent,   1. toddydd (eg), -ion.

               2. (ariannol) di-ddyled (ans).

sore, dolur (eg), -iau; briw (eg), -iau.

sorrel, suran (eg).

source, ffynhonnell (eb), (ll. ffynonellau); tarddle (eg), -oedd; tarddiad (eg), -au.

sow, hwch (eb), (ll. hychod).

    dry sow, hwch sych (eb); hwch hesb (eb).

soya beans, ffa (ell) soya.

    soya bean meal, blawd (eg) ffa soya.

space (between cells, etc), gwaglyn (eg), -nau.

    spacer, gwahanydd (eg) -ion.

    spacing, gwahaniad (eg), -au; arwahanu (be).

spanner, sbaner (eg) -i.

    adjustable spanner, sbaner cymwysadwy.

    double-ended spanner, sbaner deuben.

    open-end spanner, sbaner ceg agored.

    ring spanner, sbaner cylch/crwn.

    socket spanner, sbaner soced.

spark, gwreichionen (eb), (ll. gwreichion); gwreichioni (be); tanio (be).

    sparking-plug, plwg (eg) tanio; plwg (eg) gwreichioni.

sparse, gwasgarog (ans).

spasm, sbasm (eg), -au; cramp (eg), -iau.

specialisation, arbenigiad (eg), -au; arbenigaeth (eb), -au.

    specialize, arbenigo (be).

    specialised, arbenigol (ans).

species, (Biol. a Cem.) rhywogaeth (eb), -au.

specific, sbesiffig (ans); penodol (ans).

specimen, sbesimen (eg), -au; sampl (eg), -au; gwrthrych (eg), -au.

speed, buanedd (eg), -au; sbîd (eg).

    speedometer, sbidomedr (eg), -au.

    cutting speed, sbîd torri.

sperm, sberm (eg), -au; had (eg), -au; hadlif (eg).

    spermatic, sbermatig (ans); hadol (ans).

spheroid, sfferoid (eg), -au.

    spheroidal, sfferoidol (ans).

sphincter, sffincter (eg), -au; cyhyryn (eg) modrwyol.

spike, sbigyn (eg), -nau.

spin, sbinio (be); troi yn yr unfan (be).

spinal, sbinol (ans); colofnol (ans); madruddol (ans).

    spinal cord, madruddyn (eg) y cefn.

    spinal nerve, nerf (eb) yr asgwrn cefn.

    spinal reflex, atgyrch (eg) sbinol.

    spine (spinal column), asgwrn (eg) y cefn.

    spine, (planhigion) draenen (eb), (ll. drain).

spindle, gwerthyd (eb), -au, -oedd.

    spindle attachment, cydfan (eb) gwerthyd, (ll. cydfannau gwerthyd).

spirillum, sbirilum (eg); (ll. sbirilymau, sbirila).

spirit, gwirod (eg), -ydd.

    spirit-level, lefel (eb) wirod.

    methylated spirit, gwirod methyl.

spirochaete, sbirochaet (eb), -au.

splash, tasgu (be).

spleen, dueg (eb); poten ludw (eb).

    splenic, duegol (ans).

    splenic nerve, nerf (eb) dduegol.

spline, sblein (eg), -iau.

splint, sblint (eg), -iau; dellten (eb), -ni.

split, hollt (egb), -au; hollti (be).

    split pin, pin (eg) hollt/cloi; (ll. pinnau hollt/cloi).

sponge, sbwng (eg), -au; ysbwng (eg), (ll. ysbyngau); sbyngio (be).

spontaneous, digymell (ans).

sporadic, achlysurol (ans); ysbeidiol (ans).

sporangium, sborangiwm (eg); (ll. sborangia).

spore, sbôr (eg), (ll. sborau).

    dispersal of spores, gwasgariad (eg) sborau.

spot, man (eg), -nau; smotyn (eg), (ll. smotiau); smotio (be).

spout, pig (eg), -au; sbowt (eg), -iau.

    delivery spout, sbowt trosglwyddo.

sprain, ysigiad (eg), -au; ysigo (be).

spray,   1. chwistrell (eb), -au.

2. chwistrelliad (eg), -au.

3. (offeryn) chwistrellydd (eg), -ion; chwistrellu (be).

spray drift, chwistrell-luwch (eg).

spray race, rhedfa (eb) chwistrellu.

sprayer ground crop, chwistrellydd (eg) cnydau'r cae.

low volume sprayer, chwistrellydd cyfaint isel.

spreader, chwalwr (eg), (ll. chwalwyr); gwasgarwr (eg), (ll. gwasgarwyr).

spreading, gwasgaru (be); chwalu (be).

fertilizer spreader, chwalwr gwrtaith.

manure spreader, chwalwr tail.

spring, 1. **(season),** gwanwyn (tymor), (eg).

2. **(source),** llygad (y) ffynnon (eg); tarddell (eb), -au.

3. sbring (eg), -iau.

coil spring, sbring coil; sbring torch.

spring flush, blaendwf y gwanwyn.

spring rise, codiad (eg) gwanwynol.

spring washer, wasier (eb) sbring.

sprocket, sbroced (eg), -i; dant (eg) olwyn.

sprocket-wheel, olwyn (eb) ddannedd, (ll. olwynion dannedd).

sprouting (chitting), egino (be).

spruce, pyrwydden (eb), (ll. pyrwydd).

Norway spruce, pyrwydden Norwy.

Sitka spruce, pyrwydden Sitca.

spurrey, llin (eg) y llyffant; troellig (eg) yr ŷd.

squirt, chwistrelliad (eg), -au; chwistrellu (be).

stable, 1. stabl (eb), -au.

2. sefydlog (ans); sad (ans).

stability, sefydlogrwydd (eg).

stabilisation, sefydlogi (be).

stabiliser, sefydlydd (eg), -ion; sadydd (eg), -ion; sadiwr (eg), (ll. sadwyr).

stabilize, sefydlogi (be).

stack, tas (eb), (ll. teisi); bera (egb), (ll. -on, berâu); helm (eb), -ydd.

stage (process, development, life cycle),

1. gwedd (eb), -au (hanes bywyd pryfyn).

2. gradd (eb), -au; cam (eg), -au.

3. cyfnod (eg), -au; datblygiad (eg), -au.

stages in the development of, gweddau ar ddatblygiad (ell).

staggers, y cryndod (eg); dera (eb); y gysb (eg).

stagnant (water), merddwr (eg), (ll. merddyfroedd).

stagnant pond, merllyn (eg), (ll. merllynnoedd).

stagnation, disymudedd (eg).

stain, staen (eg), -iau.

stainless, gwrthstaen (ans); gloyw (ans).

stainless steel, dur gwrthstaen (eg).

stalk, (blodyn, deilen) coesyn (eg), -nau; (yn gyffredinol) cynheilydd (eg), (ll. cyneilyddion).

stamen, briger (eb), -au.

    staminate, brigerog (ans).

    staminode, gau friger.

stanchion, annel (egb), (ll. anelau).

stand (of trees), clwstwr (eg) (o goed), [ll. clystyrau (o goed)].

standard, safon (eb), -au; safonol (ans).

    standardise, safoni (be).

    standardised, safonedig (ans).

    standardisation, safoniad (eg).

staple,   1. edefyn (eg) gwlân, (ll. edafedd gwlân).

            2. stwffwl (eg), (ll. styffylau); stapl (eb), -au; styffylu (be); staplu (be).

    depth of staple, dyfnder (eg) yr edefyn.

starch, starts (eg), -iau.

    starchy foods, bwydydd starts (ell).

starter, cychwynnydd (eg), (ll. cychwynwyr).

starvation, newyn (eg).

stationary, sefydlog (ans); yn yr unfan (adf).

statistical, ystadegol (ans).

    statistics, ystadegau (ell).

stay, gwanas (egb), -au.

steam, ager (eg); stêm (eg); ageru (be).

    steam cleaner, ager-lanhawr (eg).

    steam distillation, distylliad (eg) ag ager.

    steaming up, cyflyru (be).

steel, dur (eg), -oedd.

    steel framing, fframwaith (eg) dur, (ll. fframweithiau dur).

    steel wool, gwlân (eg) dur.

steepsided, serthochrog (ans).

steer, bustach (eg), (ll. bustych).

steering-wheel, llyw (eg), -iau.

stem, coesyn (eg), -nau; stem (eg), -iau.

sterile (bact.), steryll (ans).

    sterile (reprod.), diepil (ans); anffrwythlon (ans).

    sterility (bact.), sterylledd (eg).

    sterility (reprod.), diepiledd (eg); anffrwythlonedd (eg).

    sterilize (bact.), steryllu (be).

    sterilize (reprod.), diffrwythloni (be).

    sterilized, sterylliedig (ans).

    sterilizer, steryllydd (eg), -ion.

sternum, sternwm (eg); asgwrn (eg) y frest.

steroid, steroid (eg), -au.

stigma, stigma (eg), -ta.

still-birth, marw-enedigaeth (eb), -au.

still-born, marw-anedig (ans).

stimulant, symbylydd (eg), -ion; cyffur (eg) adfywio; adfywiol (ans).

stimulate, symbylu (be).

stimulus, symbyliad (eg), -au; stimwlws (eg), (ll. stimwli).

sting, colyn (eg), -nau; colynnu (be); pigo (be); brathu (be).

stipe, coes (eb), -au.

stipule, stipwl (eg), (ll. stipylau).

stir, cyffroi (be); ystwyrian (be); troi (be).

stirk, blwyddiad (eg), (ll. blwyddiaid).

stirrer, tröydd (eg), (ll. troyddion).

stirring rod, rhoden (eb) droi, (ll. rhodenni troi).

stitch, pwyth (eg), -au.

stock, cyff (eg), -ion.

stock, stoc (egb), -iau (ariannol).

set stocking , stocio parhaol (be).

stocking density (or rate), cyfradd (eg) stocio.

stoloniferous, stolonog (ans).

stoma, stoma (eg), -ta.

stomach, stumog (eb), -au; cylla (eg).

stomach-tube, tiwb (eg) cylla.

stone, carreg (eb), (ll. cerrig).

stone cell, carreg-gell (eb).

crushed stone, cerrig (ell) maluriedig.

stop, atal (be); stopio (be); dal (be).

stop dead, stopio'n stond (be).

depth stop, stop (eg) dyfnder, (ll. stopiau dyfnder); ataliwr (eg) dyfnder, (ll. atalwyr dyfnder).

stopper, caead (eg), -au; topyn (eg), -nau.

storage organ, organ (eb) storio, (ll. organau storio).

store, 1. ystorfa/storfa (eb), (ll. ystorfeydd/storfeydd).

2. (stock), stôr (ans).

store lambs, ŵyn (ell) stôr.

store cattle, gwartheg stôr (ell).

stored carbohydrate, carbohydrad stôr (eg).

straight, syth (ans); unionsyth (ans).

straight fertilizer, gwrtaith (eg) un-elfen.

strain, 1. ysigiad (eg), -au; straen (eg); ysigo (be).

2. hidlo (be).

3. rhywogaeth (eb), -au.

strangles, ysgyfeinwst (eg).

strangulated, tagedig (ans).

stratification, haeniad (eg), -au.

stratified, haenedig (ans).

straw, gwellt (ell); gwelltyn (eg un.).

stream, ffrwd (eb), (ll. ffrydiau).

stress,   1. (Ffis. Cem.) diriant (eg).

               2. (Biol.) tyndra (eg).

               3. straen (eg); ing (eg).

               4. gorwasg (eg).

    stress fracture, torasgwrn (eg) gorwasg.

    stresses and strains, gwasgiannau a thyniannau (ell).

stretch, estyn (be); ymestyn (be).

striated (=striped muscle), rhesog (ans); rhychedig (ans).

    striations, rhychiadau (ell).

string, llinyn (eg), -nau; cordyn (eg), -ion; cortyn (eg), -nau.

strip, stribed (eg), -i; strip (eg), -iau; dihatru (be).

    strip cultivation, llain (eg) driniad.

    strip holding, llainddaliad (eg), -au.

stripe, rhesen (eb), (ll. rhesi).

stroke, strôc (eb), (ll. strociau).

    down-stroke, ôl-strôc.

    up-stroke, blaen-strôc.

    compression stroke, strôc gywasgedd.

    exhaust stroke, strôc wacáu; strôc ddisbyddu.

    induction stroke, strôc anwythiad.

    power stroke, strôc bŵer (eb).

structure (general),   1. adeiledd (eg), -au.

                     2. fframwaith (eg), (ll. fframweithiau).

    structure (a single definable), ffurfiad (eg), -au.

    structural, adeileddol; fframweithiol (ans).

struggle for survival, ymdrech goroesiad (be).

strut, pwyslath (eb), -au.

    tie, tynlath (eb), -au.

stubble, sofl (ell).

stunt, crabio (be).

style,   1. (Bot.) colofnig (eb).

            2. (Swol.) styl (eg), -au.

sub-, is -.

    subacute, isdost (ans); lledlym (ans).

    subcutaneous, isgroenol (ans).

    subperitoneal, isberfeddlennol (ans); isberitoneaidd (ans).

    subsoil, isbridd (eg), -oedd.

    subsoiling, isbriddo (be).

subscribe, tanysgrifio (be).

    subscriber, tanysgrifiwr (eg), (ll. tanysgrifwyr).

    subscription, tanysgrifiad (eg), -au.

subside, ymsuddo (be).

subsidence, ymsuddiant (eg), (ll. ymsuddiannau).
subsidy, cymhorthdal (eg), (ll. cymorthdaliadau).
subsist, ymgynnal (be).
    subsistence, cynhaliaeth (eb).
    subsistence farming, ffermio/ffarmio ymgynhaliol (be).
    subsistent, ymgynhaliol (ans).
substance, sylwedd (eg), -au.
    amount of substance, maint sylwedd (eg).
substitute, amnewid (eg), -ion, -iau; amnewidyn (eg), (ll. amnewidion); amnewid (be).
    substitution, amnewidiad (eg), -au.
    substituent, amnewidyn (eg), (ll. amnewidion).
    milk substitute, amnewidyn llaeth.
succulent, suddlon (ans).
    succulent plant, planhigyn (eg) suddlon.
    succulents, suddlon fwydydd (ell).
    succulence, suddlonedd (eg).
sucker, sugnolyn (eg), -au.
suckler, sugnwr (eg), (ll. sugnwyr).
    suckling, sugno (be).
    multiple suckling, sugno lluosol (be).
    single suckling, sugno un-llo (be).
sucrose, swcros (eg).
suction, sugnedd (eg), -au.
    suction pressure, gwasgedd (eg) sugnol.
suffocate, mygu (be); mogi (be).
    suffocation, mogfa (eb); mygfa (eb).
sugar, siwgr (eg), -au.
    sugar beet, betys siwgr (eg).
    sugar beet pulp, mwydion (ell) betys siwgr; pwlp (eg) betys siwgr.
    sugar cane, gwialen (eb) siwgr, cên (eg) siwgr.
sulphonamides, sylffonamidau (ell).
sulphur, sylffwr (eg).
sump, swmp (eg), -au.
    sump plug, plwg (eg) y swmp.
sundries, amrywion (ell).
sunlight, golau haul (eg).
    expose to sunlight, dal yng ngolau'r haul.
superior (anatomy), uwch.
    superior vena cava, y wythïen (eb) fawr uchaf; superior vena cava.
supplement (food), adchwanegyn (eg), (ll. adchwanegion); ychwanegyn (eg),
    (ll. ychwanegion).
    supplementary, atodol (ans).
    supplementary feeding, bwydo atodol (be).
supply, cyflenwad (eg), -au; cyflenwi (be).

supply and demand, cyflenwad a galw.

support (finance), cynhaliad (eg), (ll. cynaliadau); cynnal (be).

support (skeletal function), cynhaliad (eg).

supporting tissue, meinwe (eg) cynhaliol, (ll. meinweoedd cynhaliol).

surcharge, gordal (eg); tâl (eg) atodol; gordoll (eg), -au.

surface, arwyneb (eg), -au.

surface area, arwynebedd (eg), -au.

surplus, gwarged (eb), -ion.

surtax, gordreth (egb), -i.

survey, arolwg (eg), (ll. arolygon); tirfesur (be).

survival, goroesiad (eg), -au.

survival rate, cyfradd (eg) goroesi.

survival of the fittest, goroesiad y cymhwysaf; trechaf treisied.

survive, goroesi (be).

susceptibility, derbynnedd (eg), (ll. derbyneddau).

susceptible to diseases, yn agored i glefydau.

suspend, yng nghrog (adf); ar grog (adf).

suspension, (Cem.) daliant (eg), (ll. daliannau).

milky suspension, daliant llaethog; daliant cymylog.

suspensory, cynhaliol (ans).

suspensory ligament, gewyn (eg) cynhaliol, (ll. gewynnau cynhaliol); giewyn (eg) cynhaliol, (ll. gïau cynhaliol).

suture,   1. pwyth (eg), -au.

              2. (am esgyrn) asiad (eg), -au.

suture line, llinell (eb) bwytho; llinell asio.

sward, tywarchen/tywarch (eb), (ll. tywyrch).

swath, gwanaf (eb), -au; ystod (eb), -au.

swath board, ystyllen (eg) y wanaf.

swath turning, troi ystodiau; troi rhenciau (be).

swayback, dindro (eg); sigl y cefn.

sweat, chwys (eg); chwysu (be).

sweat gland, chwarren (eb) chwys, (ll. chwarennau chwys).

sweating, chwysu.

swede, swedsen (eb), (ll. sweds); erfinen (eb), (ll. erfin); rwden (eb), (ll. rwdins).

sweet corn, indrawn (eg) pêr.

swelling, chwydd (eg), -iadau; chwyddo (be).

swine erysipelas, erysipelas (eg) y moch; manwynion (ell) moch; fflamwydden (eb) moch.

swine fever, twymyn y moch (eb).

swine vesicular disease, clefyd (eg) pothellog y moch.

switch, swits (eg), -ys; switsio (be).

safety switch, swits (eg) diogelwch.

swivel, bwylltiad (eg), -au; bwylltidio (be).

symbiotic, cydfywydog (ans); symbiotig (ans).

sympathetic, ymatebol (ans); sympathetig (ans).

    sympathetic nervous system, cyfundrefn/system (eb) nerfol ymatebol.

symptom, symptom (eg), -au; arwydd (eg), -ion.

syncromesh, cyd-ddant (eg).

synchronize, cydamseru (be).

    synchronization, cydamseriad (eg), -au; syncronaidd (ans).

    synchronization of oestrus, cydamseru'r oestrws.

    synchronizer, cydamseredydd (eg), -ion.

    synchronous, cydamseredig (ans).

syndrome, syndrôm (eg), (ll. syndromau).

synovial, synofaidd (ans).

synthesis, synthesis (eg), -au.

    synthesize, syntheseiddio (be).

    synthetic, synthetig (ans); gwneud (ans).

syphon, siffon (eg), -au.

syringe, chwistrell (eb), -au, -i; chwistrellu (be).

syrup, syryp (eg), -au.

    syrupy, syrypaidd (ans).

system, system (eb), -au; cyfundrefn (eb), -au.

    systemic (e.g., insecticides), hollgorfforol (ans).

    grass/cereal system, system (eb) laswellt/rawnfwyd.

    reproductive system, cyfundrefn genhedlu.

systole, systole (eg); cyfangiad (eg) y galon.

T

table, tabl (eg), -au.
tabulated, tabledig (ans).
tachometer, tacofesurydd (eg), -ion.
tackle/gear, taclau (ell); offer (ell).
tail, cynffon (eb), -nau.
    tail head, bôn (eg) y gynffon.
take all, ffwng pennau gwynion (eg); haint (eg) gwyn; y penwyn (eg).
take-up (gas, fluid), cymryd i mewn (be); amsugno (be).
tank, tanc (eg), -iau.
    effluent tank, tanc elifiad.
tanker, tancer (eg), -i.
    milk tanker, tancer (egb) l(l)aeth.
tannin, tanin (eg), -au.
tap, tap (eg), -iau; tapio (edau) (be).
    tap root, prif wreiddyn (eg), (ll. prif wreiddiau).
tape, tâp (eg), (ll. tapiau).
    measuring-tape, tâp mesur.
taper, tapr (eg), -au; tapro (be).
    tapered, taprog (ans).
    tapered shaft, siafft (eb) daprog; gwerthyd (eb) daprog.
    tapering, pigfain (ans); blaenfain (ans).
tapeworm, llyngyren (ruban) (eb), [ll. llyngyr (rhuban)].
tappets, tapedi (ell).
target, targed (eg), -au; nod (eg), -au.
tariff, diffyndoll (eb), -au; toll (eg), -au.
tarsal, tarsol (ans); migyrnol (ans).
    tarsus, tarsws (eg); migwrn (eg) y droed (ll. migyrnau'r traed).
task, gorchwyl (eg), -ion; tasg (eb), -au; gwaith (eg), (ll. gweithiau).
taste, blas (eg); blasu (be).
tattoo, tatŵ (eg).
tax, treth (eb), -i.
    tax relief, gostyngiad (eg) yn y dreth.
    taxable, trethadwy (ans).
    taxable income, incwm (eg) trethadwy.
    taxation, trethiad (eg), -au.
    income tax, treth incwm.
    value added tax, treth ar werth.
teat, teth (eb), -i.
    teat-syphon, nodwydd (eb) laeth.
technical, technegol (ans).
    technique, techneg (eb), -au.
tedding, chwalu gwair (be).

teg, oen (eg) blwydd, (ll. ŵyn blwydd); llwdn (eg) blwydd, (ll. llydnod blwydd).

temperament, anianawd (eg).

temperature, tymheredd (eg), (ll. tymereddau).

    temperature range, amrediad (eg) tymheredd.

    body temperature, gwres (eg) y corff.

    critical temperature, tymheredd critigol.

    maximum temperature, uchafbwynt tymheredd.

    minimum temperature, isafbwynt tymheredd.

    mean temperature, tymheredd cymedrig.

    to keep at a temperature of ..., cadw ar dymheredd o ...

template, patrymlun (eg), -iau.

tendinitis, tendinitis (eg).

    tendon, tendon (eg), -au.

tenesmus, tenesmws (eg).

tendril, tendril (eg), -au.

tensile, tynnol (ans).

    tensile strain, straen (eg) tynnol.

    tensile stress, diriant (eg) tynnol.

tension, tensiwn (eg); tyndra (eg).

tensor, tensor (eg), -au.

tenure, daliadaeth (eb), -au.

term, tymor (eg), (ll. tymhorau).

    long term, hirdymor.

    short term, byrdymor.

    term (pregnancy), tymp (eg).

terminal, (Cem.) terfynell (eb), -au.

    battery terminals, terfynellau batri (ell).

    terminal bud, penflaguryn (eg), (ll. penflagur).

terms, termau (ell).

terrain, tir (eg).

test, prawf (eg), (ll. profion); profi (be).

    performance test, prawf perfformiad.

    progeny test, prawf epil.

testa, hadgroen (eg); hadgrwyn (eg).

testicle/testis, caill (eb), (ll. ceilliau); carreg (eb), (ll. cerrig).

    testicular, ceilliol (ans).

testosterone, testosterôn (eg).

tetanus, tetanws (eg); gên-glo (eb).

    tetany, tetanedd (eg); y dirdynnedd (eg).

tethering, clymu (be); rhwymo (be).

tetraploid, tetraploid (ans).

texture,   1. gwead (eg).

              2. gweadedd (eg), -au; swmp (eg).

theory, damcaniaeth (eb), -au; theori (eb), (ll. theorïau).

therapeutic, triniaethol (ans), therapiwtig (ans).

therapy, triniaeth (eb), -au; therapi (eb), (ll. therapïau).

therefore, felly (adf); gan hynny (adf).

thermometer, thermomedr (eg), -au; gwresfesurydd (eg), -ion.

thermostat, thermostat (eg), -au.

thiamine (aneurine, vitamin B), thiamin (eg).

thicket, dryslwyn (eg), -i.

third country, trydedd gwlad (eb).

thistle, ysgall (ell).

thoracic, afellaidd (ans); thorasig (ans).

thorax, afell (eb), -au; thoracs (eg), -au.

thread, edau (eb), (ll. edafedd); edafu (be).

threadworm, llyngyren (eb) edau, (ll. llyngyr edau).

threshold, trothwy (eg), -au, -on.

threshold price, pris (eg) trothwy.

threshing, dyrnu (be).

thrips, thrips (eg).

throat, gwddf (eg), (ll. gyddfau); llwnc (eg).

thrombacyte, thrombocyt (eg), -au; thromboseit (eg), -iau.

thrombus, tolchen (eb), -ni (eb); thrombws (eg).

throttle, sbardun (eg), -au; throtl (eb), -au.

throughput, trygyrch (eg).

throw, tafliad (eg), -au; tafledd (eg), -au.

thrust, gwaniad (eg), -au; gwthiad (eg), -au; hyrddio (be); gwthio (be).

thrusting, ymwthiad (eg), -au.

thrust bearing, gwthferyn (eg), -nau.

thunderstorm, storm (eb) fellt a tharanau, (ll. stormydd mellt a tharanau).

thus, felly (adf).

thymus, thymws (eg).

thyroglobulin, thyroglobwlin (eg).

thyroid, thyroid (eg).

thyroxin, thyrocsin (eg).

tibia, crimog (eb), -au; tibia (eg).

tic, plyciad (eg).

tick, trogen (eb), (ll. trogod).

tick borne fever, twymyn a gludir gan drogod.

tide, llanw (eg).

tie, tynlath (eg), -au.

tight, tynn (ans).

tighten, tynhau (be).

tighten (ligament), tynhau gewyn (be).

tightness, tyndra (eg).

tile drainage, draenio â theiliau (be).

tillage,   1. trin tir.

2. tir dan gnydau.

tiller, cadeiren (eb), -nau; cadeirio (be).

tilt, gogwydd (eg), -au; gogwyddo (be).

tilth, tymer (tir) (eb); ffraethni (eg); tilth (eg); tir (eg) rhywiog.

timber, coedwydd (ell).

timer, amserydd (eg), -ion.

timothy, rhonwellt y gath (eg).

tin, tún (eg).

tincture, trwyth (eg), -i; tentur (eg).

tinea, tinea (eg).

tissue, meinwe (eb), -oedd; cnodwe (eb), -oedd.

    tissue culture, meithrin meinweoedd (eg).

    tissue fluid, hylif (eg) meinweol; hylif cnodweol.

tolerance, (Imwn.) goddefedd (eg); goddefaint (eg), (ll. goddefiannau).

toll, toll, (eb), -au.

ton, tunnell (eb), (ll. tunelli).

    tonnage, tunelledd (eg), -au.

    deadweight tonnage, tunelledd llwyth.

    tonne, tunnell fetrig (t.f.), (ll. tunelli metrig).

tongs, gefail (eb), (ll. gefeiliau); gefel (eb), -au.

tongue, tafod (eb), -au.

tool, erfyn (eg), (ll. arfau); offeryn (eg), (ll. offer).

tooth, dant (eg), (ll. dannedd).

    tooth (canine, eye), dant (eg) llygad.

    broad teeth, dannedd llydan.

    incisor, blaenddant (eg).

    milk tooth, dant sugno.

    molar tooth, cilddant (eg), (ll. cilddannedd); molar (eg); bochddant (eg), (ll. bochddannedd).

    permanent tooth, dant parhaol.

top-dressing, gwrtaith (eg).

    top link, cyswllt (eg) uchaf.

    top quality, o'r ansawdd gorau (ans).

    topsoil, uwchbridd (eg), -oedd.

topical, argroenol (ans).

torch, tors (egb), (ll. tyrs); ffagl (eb), -au.

    blow-torch, chwythdors (eb).

    welding torch, tors weldio; ffagl weldio.

torniquet, rhwymyn (eg) tynhau; torniquet (eg).

torque, trorym (eg), -oedd.

    torque wrench, tyndro (eg) torch.

torsion, dirdro (eg), -eon; dirdroad (eg).

    torsion of intestine, dirdro'r perfedd (eg).

    torsion of testis, trogaill (eb).

torus, torws (eg), (ll. torysau).

total, cyfanswm (eg), (ll. cyfansymiau); cyflawn (ans).

touch, cyffyrddiad (eg).

tourism, twristiaeth (eb).

    rural tourism, twristiaeth wledig.

    tourist industry, diwydiant (eg) ymwelwyr.

toxaemia, gwenwyniad (eg); tocsaemia (eg); tocsemia (eg).

    toxic, gwenwynol (ans); gwenwynig (ans); tocsig (ans).

    toxicity, gwenwyndra (eg); tocsinedd (eg).

    toxicology, tocsicoleg (eb).

    toxin, tocsin (eg).

    toxoid, tocsaid (eg), -au.

    toxoplasmosis, tocsoplasmedd (eg).

TPI (teeth per inch), dannedd i'r fodfedd.

    threads per inch, edafedd i'r fodfedd.

trace, olin (eg), -au; trywydd (eg); mymryn (eg).

    trace elements, elfen (eb) mymryn, (ll. elfennau mymryn); elfen hybrin, (ll. elfennau hybrin).

trachea, y bibell wynt (eb); (Bot. a Swol.) tracea (eg), -au; (Swol.) breuant (eg), (ll. breuannau).

    tracheal, traceol (ans); breuannol (ans).

track, trac (eg), -iau; llwybr (eg), -au.

    track rod, rhoden (eb) lwybro, (ll. rhodenni llwybro); rhoden lywio.

    multiple track, amldrac.

    single track, untrac.

traction, tyniant (eg); tyniad (eg); hydyniad (eg); hirdyniad (eg); hydynnu (be); hirdynnu (be).

tractor, tractor (eg), -au.

    four-wheel drive tractor, tractor gyriant pedair olwyn.

trade, masnach (eb), -au; busnes (eb), -au; crefft (eb), -au; trâd (eg).

trailer, treiler (eg), -i; treler (eg), -au; olgerbyd (eg), -au; olgart (eg), (ll. olgeirt).

    grain trailer, treler grawn.

    harvest trailer, treler cynhaeaf.

training, hyfforddiant (eg).

    vocational training, hyfforddiant galwedigaethol.

tramlining, tramleinio (be).

tranquil(l)iser, tawelydd (eg), -ion.

trans-, traws -; tros -.

transactions, trafodion (ell).

transfer, trosglwyddo (be).

    transferable, trosglwyddadwy (ans).

    ova transfer, trosglwyddo ofa.

transform, trawsffurf (eb), -iau; trawsffurfio (be).

    transformer, newidydd (eg), -ion.

translocation, trawsleoliad (eg), -au.

translucent, tryleu (ans).

transmission, trosglwyddiad (eg), -au; trawsyriant (eg), (ll. trawsyriannau).

    transmission housing, gwâl y trawsyriant (eg).

transparent, tryloyw (ans).

transplant, trawsblaniad (eg), -au.

transpiration, trydarthiad (eg); transbiradaeth (eb); trydarthu (be).

transport, trafnidiaeth (be); cludiant (eg), (ll. cludiannau).

trauma, trawma (eg); anaf (eg); archoll (ebg).

    traumatic, trawmatig (ans).

tray, hambwrdd (eg), (ll. hambyrddau).

    chitting tray, hambwrdd egino.

treatment, triniaeth (eb), -au.

tree, coeden (eb), (ll. coed).

    tree line, coedlin (eg), -au.

trench, ffos (eb), -ydd.

trend, tuedd (eb), -iadau.

tremor, cryndod (eg), -au.

trial, treial (eg), -on.

    sheepdog trials, treialon cŵn defaid (ell).

tricuspid, teirlen (ans), (e.e., y falf (eb) deirlen).

trimming, trimio (be); tocio (be).

    foot trimming, naddu traed (be).

triplet, tribled (eg), -i.

trismus, gên-glo (eb); trismws (eg).

trocar, trocar (eg).

    trocar (& cannula), trychyr (eg), -rau (a'i lawes/wain).

trochlear nerve, nerf (eb) drochlear.

trophic, troffig (ans).

trough, cafn (eg), -au.

    trough (pressure), cafn o wasgedd isel.

trowel, trywel (eg), -ion; llwyarn (eb), (ll. llwyerni).

true, gwir (ans); cywir (ans); cywiro (be).

truncate, blaendorri (be).

    truncated, trych (ans).

    truncated soil, pridd (eg) uwchdor, (ll. priddoedd uwchdor).

    truncation, trychiad (eg), -au; blaendoriad (eg), -au.

trunk, bongorff (eg), (ll. bongyrff).

trunnion, trwnion (eg), -s, -nau.

truss, cwpl (eg), (ll. cyplau).

tubal, pibennol (ans).

    tube, tiwb (eg), -iau; piben (eb), -ni.

    tubing, tiwbin (eg), -au.

    tubular, tiwbaidd (ans).

Fallopian tube, tiwb Fallopio.

tuber, cloronen (eb), (ll. cloron).

tuberculosis, darfodedigaeth (eb); twbercwlosis (eg); y pla gwyn (eg).

tuberculous, darfodedigaethol (ans); twbercwlaidd (ans).

tubular, tiwbaidd (ans); pibellog (ans).

tubule, tiwbyn (eg), -nau.

urinary tubule, tiwbyn (eg) troeth; tiwbyn wrin.

tumour, tyfiant (eg), (ll. tyfiannau).

tup, hwrdd (eg), (ll. hyrddod); maharen (eg), (ll. meheryn).

tupping, maharenna (be); rhydio (be).

turbid, cymylog (ans).

turbine, tyrbin (eg), -au.

turf, tywarchen (eb), (ll. tywyrch); tywarchu (be).

turgid, chwydd-dynn (ans).

turgor, chwydd-dyndra (eg).

turkey, twrci (eg), (ll. twrcïod).

turn, troad, (eg), -au; troi (be).

turnip, erfinen (eb), (ll. erfin); meipen (eb), (ll. maip).

turn out, troi allan (be).

turnover, trogyrch (eg); trosiant (eg), (ll. trosiannau).

sales turnover, trosiant gwerthu (eg).

tussock (bunch grass), sypwellt (eg), -ydd.

twin, gefell (eg), (ll. gefeilliaid).

twin lamb disease, clwy'r efeilliaid (eg); clwy'r defaid cyfeb (eg); clwy'r eira (eg).

identical twin, gefell unwy/unfath.

non-identical twin, gefell deuwy.

twine, cortyn (eg), -nau; llinyn (eg), -nau.

twine can, tun y cortyn (eg).

twine (as in climbing plants), ymgordeddu (be).

twist, dirdroad (eg), -au; camdroad (eg), -au; dirdroi (be); camdroi (be); twistio (be); cordeddu; ymgordeddu (be).

twitch, plwc (eg), (ll. plyciau); plycio (be).

tympanites, bolchwyddi (ell); tympanites (eg).

type, math, (eg), -au; teip (eg), -iau.

trueness to type, gwirdeiprwydd (eg).

udder, pwrs (eg), (ll. pyrsau); cadair (eb), (ll. cadeiriau).
ulcer, briw (eg), -iau; crawniad (eg), -au.
    ulcerate, briwio (be); ymfriwio (be).
    ulcerated, briwiog (ans).
ultra-, uwch-.
    ultrasonic, uwchseiniol (ans); wltrasonig (ans).
    ultraviolet, uwchfioled (ans).
umbilical, bogeiliol (ans).
    umbilical cord, llinyn (eg) bogail.
    umbilicus, bogail (eg), (ll. bogeiliau).
unburnt, heb losgi (ans).
uncertainty, ansicrwydd (eg).
unconditional, diamodol (ans).
under-, tan-; hypo-.
    under drainage, tanddraenio (be).
    underfed, llwglyd (ans).
    underground, tanddaearol (ans).
    undergrowth, tandwf (eg).
    underlying, gwaelodol (ans); tanfodol (ans).
    under-nourish, tanfaethu (be).
    under-nourished, heb ddigon o faeth (ans).
    undernutrition, diffyg maeth (eg).
    undersow, tan-hau (be).
    undersowing, hau dan gnwd.
    underutilize, tanddefnyddio (be), [**overutilize,** gorddefnyddio (be)].
undescended testes, caill (eb) gudd, (ll. ceilliau cudd).
undulant fever, twymyn (eb) donnol.
uneconomic, aneconomaidd (ans).
uneven, anwastad (ans).
unfenced, di-ffens (ans).
ungraded, anraddedig (ans).
ungulate, carnolyn (eg), (ll. carnolion); carnol (ans).
unicellular, ungellog (ans).
    unisexual, unrhywiol (ans).
uniformity, unffurfedd (eg), -au.
union, cyswllt (eg), (ll. cysylltau).
unit, uned (eb), -au; unedol (ans).
    unit of account, uned y cyfrif.
universal indicator, dangosydd (eg) pH.
    universal joint, cymal (eg) cyffredinol.
unproductive, anghynhyrchiol (ans).
unsaturated, annirlawn (ans).

unsaturated fatty acid(s), asid(au) brasterog annirlawn.
polyunsaturated, amlannirlawn (ans).
unserved, heb ei/eu serfio.
unstable, ansefydlog (ans); ansad (ans).
unwind, dad-ddirwyn (be).
unstratified, dihaenedig (ans).
update, diweddaru (be).
uphill, i fyny (ans).
upland, uwchdir (eg), -oedd.
upside down, â'i ben i waered; â'i wyneb i waered; â'i ben i lawr; â'i ben ucha'n isa'.
up-stroke, blaenstrôc (eb), (ll. blaenstrociau).
upswelling, ymchwydd (eg).
uptake (of salts by a root) (=influx), mewnlifiad (eg), -au.
upthrust, brigwth (eg), -iau.
up-to-date, cyfoes (ans); diweddaraf (ans); cyfddyddiol (ans).
    out of date, ar ôl yr oes.
uraemia, wremia (eg).
    uraemic, wremig (ans).
urea, wrea (eg), wreae (eg).
    urea cycle, cylchred wrea (eb).
ureter, wreter (eg), -au; pibell (eb) yr aren.
    ureteric, wreterig (ans).
    urethra, wrethra (eg); pibell (eb) droeth; arenbib (eg); pibell y bledren.
    urethral, wrethrol (ans).
    urethritis, llid (eg) yr wrethra; wrethritis (eg); llid pibell y bledren.
urinalysis, troethbrawf (eg), (ll. troeth brofion); wrinalysis (eg).
    urinanalyse, troethbrofi (be).
    urinary, troethol (ans).
    urinate, troethi (be); piso (be).
    urination, troethiad (eg), -au.
    urine, troeth (eg); wrin (eg); lleisw (eg); dŵr (eg); piso (be); piswail (eg).
    urine test, prawf (eg) troeth.
    uriniferous tubule, tiwbyn (eg) wrinifferws; tiwbwl (eg) wrinifferws; tiwbyn (eg) troeth.
urogenital, troethenidol (ans).
uterine, crothol (ans).
    uterine prolapse, dygwympiad (eg) y groth; cwymp (eg) y groth.
    uterus, y groth (eb); wterws (eg).
    prolapse of uterus, bwrw'r famog; bwrw'r cwd.
utilization, defnyddiad (eg), -au.
    utilize, defnyddio (be).

V

V pulley, pwli (eg) V, (ll. pwlïau V); chwerfan (eg) V, (ll. chwerfain V).

V shape, ffurf (eg) V; siâp (eg) V.

    V shaped, ar ffurf V (ans).

vaccinate, brechu (be).

    vaccination, brechiad (eg), -au.

    vaccine, brechlyn (eg), -nau.

vacuum, gwactod (eg).

    vacuum flask, fflasg (eb) wactod.

    vacuum regulator, rheolydd (eg) gwactod.

vagina, fagina (eb), -e, -u; gwain (eb), (ll. gweiniau); (Milf.) y llawes (eb) goch.

    vaginal sponge, ysbwng (eg) manegol.

    prolapse of vagina, bwrw'r llawes goch.

vagus nerve, y nerf (eb) fagws; y nerf grwydrol.

vale, dyffryndir (eg), -oedd; bro (eb), -ydd.

    valley, dyffryn (eg), -noedd.

value, gwerth (eg), -oedd; enrhif (eg), -au.

    valuation, prisiant (eg), (ll. prisiannau); prisiad (eg), -au.

    book value, llyfrwerth.

    evaluate, enrhifo (be).

    mean value, gwerth cymedrig; enrhif cymedrig.

    nominal value, gwerth enwol.

valve, falf (eb), -iau.

    valve clearance, cliriad (eg) falf.

    valvular, falfaidd (ans).

    flutter valve, falf (eb) hwyfo.

    overhead valve, falf uwchben/oruwch.

    pressure valve, falf wasgedd.

    release valve, falf ryddhau/ollwng.

    safety-valve, falf ddiogelwch.

vapour (water), anwedd (eg), -au.

    vapour density, dwysedd (eg) anwedd.

    vapour pressure, gwasgedd (eg) anwedd; pwysedd (eg) anwedd.

    vaporise, anweddu (be).

    vaporisation, anweddiad (eg), -au.

    vaporised, anweddol (ans).

variable, newidyn (eg), -nau; newidiol (ans); cyfnewidiol (ans).

    variable costs, costau newidiol (ell).

    variable premium, premiwm (eg) cyfnewidiol.

    variation, amrywiad (eg), -au.

    variational, amrywiadol (ans).

    variety, amrywiaeth (eb), -au; amrywogaeth (eb), -au.

    vary, amrywio (be).

varying speed, buanedd (eg) amrywiol; sbîd (eg) amrywiol.
forage variable costs, costau (ell) amrywiol porthiant; costau (ell) newidiol porthiant.
variegation, brithedd (eg).
    variegated leaf, deilen (eb) frith, (ll. dail brith).
vas deferens, fas defferens; fasa defferentia.
vascular, fasgwlar (ans); gwaedbibellol (ans); gwaedlestrol (ans).
    vascular bundle, sypyn fasgwlar, (ll. sypynnau fasgwlar).
vasectomy, fasectomi (eg); fasdoriad (eg), -au.
vaselin, faselin (eg).
veal, cig (eg) llo.
vegetarian, llysfwytawr (eg), (ll. llysfwytawyr); cigwrthodwr (eg), (ll. cigwrthodwyr).
    strict vegetarian (vegan), cigwrthodwr caeth.
vegetation, llystyfiant (eg).
    vegetative, llystyfol (ans).
vehicle, cerbyd (eg), -au.
vein, gwythïen (eb), (ll. gwythiennau).
    jugular vein, gwythïen y gwddf.
    mesentric vein, gwythïen fesenterig.
    milk vein, gwythïen laeth.
    portal vein, gwythïen bortal.
    pulmonary vein, gwythïen ysgyfeiniol.
    renal vein, gwythïen arennol.
velocity, cyflymder (eg), -au.
vena, fena (eg).
    vena cava, y wythïen fawr; vena cava.
    vena cava inferior (posterior), fena cafa infferior (bosterior).
    vena cava superior, fena cafa swperior.
    venal necrosis, necrosis (eg) y gwythiennau.
    venation (of a leaf), gwytheniad (eg).
vendor, gwerthwr (eg), (ll. gwerthwyr).
vent, agorfa (eb), (ll. agorfeydd); awyrell (eb), -au; awyrellu (be).
ventilate, gwyntyllu (be); awyru (be).
    ventilation, gwyntylliad (eg); awyriad (eg); awyriant (eg).
    ventilation rate (respiration), cyfradd (eg) anadlu.
    ventilator, awyrydd (eg), -ion; awyriadur (eg), -on.
ventral, fentrol (ans); torrol (ans); boliol (ans).
    ventral root, gwreiddyn fentrol (eg).
    dorsiventral, cefndorrol (ans).
ventricle, fentrigl (eg), -au.
    ventricular, fentrigol (ans).
venule, gwythiennig (eb).
verifiable, gwiriadwy (ans).
    verification, gwireddiad (eg), -au.

verifier, gwiredydd (eg), -ion.

verify, gwireddu (be).

vermiform, llyngyraidd (ans).

vernalization, gwanwyneiddiad (eg).

vertebra, fertebra (eg), (ll. fertebrau).

vertebral, fertebrol (ans).

vertebral column, asgwrn (eg) y cefn.

vertebrate, fertebrat (eg), -au; fertebraidd (ans); anifeiliaid asgwrn-cefn (ell).

caudal vertebra, fertebra cynffonnol.

cervical vertebra, fertebra cerfignol; fertebra gyddfol.

lumbar vertebra, fertebra meingefnol.

sacral vertebra, fertebra crwperol.

thoracic vertebra, fertebra afellaidd; fertebra thorasig.

vertical, fertigol (ans).

vertical section, toriad fertigol (eg).

vesical, pothellog (ans); fesigol (ans); pledrol (ans).

vesicular cavity, ceudod (eg) pothellog, (ll. ceudodau pothellog).

vestibular, cynteddol (ans); festibwlar (ans).

vestibulum, cyntedd (eg), -au; festibwlwm (eg).

vetches, ffacbys (ell).

viable, hyfyw (ans); bywadwy (ans).

viability, hyfywdra (eg); hyfywedd (eg).

vibrate, dirgrynu (be).

vibration, dirgryniad (eg), -au.

vibrational, dirgrynol (ans).

vibrissa, blewyn (eg), (ll. blew); gwrychyn (eg), (ll. gwrych).

vice, feis, (eb), -iau.

view, golwg (eg).

side- (lateral) view, ochrolwg (eg).

surface view, uwcholwg (eg), (ll. uwcholygon).

vigour, ymnerth (eg).

vigorous, nerthol (ans).

villus, filws (eg), (ll. filysau).

violent, dirdraol (ans).

viral, firol (ans).

virology, firoleg (eb).

virus, firws (eg), (ll. firysau).

virus yellows, melyn y firws (eg).

viscera, ymysgaroedd (ell); perfedd (eg); perfeddol (ans); (Swol.) fisgera (eg); fisgeraidd (ans).

viscosity, gludedd (eg).

viscous, gludiog (ans).

vision, golwg (eg).

vital capacity, y cyfaint (eg) anadlol.

vital organ, organ (eg) hanfodol.

vitality, bywiogrwydd (eg); bywyd (eg); nerth (eg).

vitamin, fitamin (eg), -au.

vitamin deficiency, diffyg (eg) fitaminol; diffygiant (eg) fitamin.

vitreous, gwydrol (ans).

vitreous humour, hylif (eg) gwydrol/gwydrog.

vivisection, bywddyraniad (eg), -au; bywddyrannu (be).

volatile, ehedol (ans); anweddol (ans).

volatility, ehedolrwydd (eg); anweddolrwydd (eg).

volt, folt (eg), -iau.

voltameter, foltamedr (eg), -au.

voltage, foltedd (eg), -au.

high voltage, foltedd uchel.

low voltage, foltedd isel.

volume, cyfaint (eg), (ll. cyfeintiau).

capacity, cynhwysedd (eg).

voluntary action, gweithred (eb) wirfoddol, (ll. gweithrediadau gwirfoddol).

voluntary intake, derbynnedd (eg) gwirfoddol.

voluntary muscle (striated muscle), cyhyr (eg) rheoledig; cyhyr rhesog.

volvulus, cwlwm perfedd (eg).

vomit, chwydfa (eb), (ll. chwydfeydd); chwydiad (eg), -au; cyfog (eg); chwydu (be); cyfogi (be); taflu i fyny (be).

vomiting, chwydu (be); cyfogi (be); taflu i fyny (be).

vomitus, chwŷd (eg).

vulcanise, fwlcaneiddio (be).

vulva, gweflau'r wain (ell); fwlfa (eg); (Milf.) y faneg (eb) goch.

vulval, fylfol (ans).

W

wadding (= cotton wool), gwlân (eg) cotwm; wadin (eg).
wage, cyflog (egb), -au; enillion (ell).
    real wage, gwir gyflog.
    Agricultural Wages Board, Bwrdd Cyflogau Amaethyddol.
wall, mur (eg), -iau; wal (eb), -iau.
    dry stone wall, mur cerrig sych; wal gerrig sych.
    retaining wall, wal gynnal; mur cynnal.
wandering cell, cell (eb) grwydrol.
warble fly, gwerfilyn (eg); pryf (eg) gweryd; Robin y Gyrrwr (eg).
ware, tatws bwyta (ell).
warm, cynnes (ans); twym (ans); cynhesu (be); twymo (be).
    warm-blooded (animal), [anifail (eg)] gwaed cynnes.
warp, camdroad (eg), -au; ystof (eb), -au; camdroi (be); dylifo (be); ystofi (be).
wart disease, clefyd (eg) y ddafaden; clafr (eg) du.
washer, wasier (eb), -i.
    locking washer, wasier gloi.
    plain washer, wasier blaen.
    sealing washer, wasier selio.
    split washer, wasier hollt.
    spring washer, wasier sbring.
    tab washer, wasier dafod.
wasteland, tir (eg) diffaith, (ll. tiroedd diffaith); tir (eg) anial, (ll. tiroedd anial).
water, dŵr (eg), (ll. dyfroedd); dyfrhau (be).
    water content, cynhwysiad (eg) dŵr.
    water dropwort, cegiden (eb) y dŵr.
    waterlogged, dwrlawn (ans); llawn dŵr (ans).
    water-meadow, gorlifddol (eb).
    water of crystallisation, dŵr grisialu.
    waterproof, gwrthddŵr (ans); diddos (ans); yn dal dŵr (ans).
    waterproof membrane, pilen (eb) ddiddos.
    water sac, coden (eb) ddŵr; amnion (eb).
    water-table, lefel (eg) trwythiad.
    watertight, dwrglos (ans); dwrdynn (ans).
    water vascular system, system (eb) fasgwlar ddyfrol.
    watering-place, dyfrfan (eg), -nau.
    watery, dyfrllyd (ans); dyfriog (ans).
    watery mouth, gweflau (ell) dyfrllyd.
    flowing water, dŵr rhedegog.
    freshwater, dŵr croyw.
    hard water, dŵr caled.
    heavy water, dŵr dwys; dŵr trwm; dŵr dewteriwm.
    stagnant water, merddwr (eg).

still water, dŵr llonydd.

watt (W), wat (eg), -iau.

    wattage, watedd (eg), -au.

wax, cŵyr (eg), (ll. cwyrau).

weak, gwan (ans); egwan (ans).

    weakness, gwendid (eg), -au.

wean, diddyfnu (be).

    weaner, porchell (eg), (ll. perchyll).

    early weaning, diddyfnu cynnar (be).

wear, traul (eb); gwisg (eb); treulio (be); gwisgo (be).

    wear and tear, traul.

    worn, wedi treulio; wedi gwisgo.

weather (to), hindreulio (be).

    weather forecast, rhagolygon (ell) y tywydd.

    weather forecaster, dyn/dynes y tywydd.

    weather report, adroddiad (eg) am y tywydd.

    weathered, hindreuliedig (ans).

    weather(ing), hindreulio (be); hindreuliad (eg).

    weathering agent, cyfrwng (eg) hindreulio, (ll. cyfryngau hindreulio).

    settled weather, tywydd sefydlog.

    unsettled weather, tywydd ansefydlog.

web, gwe (eb), -oedd.

    web (blood-vessels/capillaries), gwe gapilarïau.

wedge, lletem (eg), -au; lletemu (be).

weed, chwynnyn (eg), (ll. chwyn).

    weed grasses, chwyn laswelltau (ell).

    weed-killer (chemical), chwynleiddiad (eg) cemegol.

    weed-killer (translocated), chwynleiddiad trawsleoledig.

    weed wiper, chwynlyfwr (eg); chwynlychwr (eg).

    residual weed-killer, chwynleiddiad gweddillol.

    selective weed-killer, chwynleiddiad detholus.

weigh, pwyso (be).

    weighed, wedi'i bwyso (ans).

    weight, pwysau (eg).

    weighted, pwysol (ans).

    unweighted, amhwysol (ans).

Weil's disease, clefyd (eg) Weil.

weld, asiad (eg), -au; weld (eg), -iau; weldiad (eg), -au; weldio (be); asio (be).

    electric arc welding, weldio arc drydan.

    electric spot welding, sbot-weldio trydan.

    fillet weld, lleinasio (be); lleinweldio (be).

    spot welding, sbot-weldio (be).

well-balanced, cytbwys (ans).

    well proportioned, o gyfrannedd da (ans).

westerlies, gwyntoedd (ell) y gorllewin.

wet bulb thermometer, thermomedr (eg) bwlb gwlyb.

wether, molltyn (eg), (ll. myllt); gwedder (eg), (ll. gweddrod); llwdn (eg) dafad, (ll. llydnod defaid).

wheat, gwenith (ell); gwenithen (eb un.).

    wheat bulb fly, pry (eg) bwlb y gwenith.

    wheatings, rhuchion (ell) gwenith.

wheel, olwyn (eb) -ion.

    wheelbrace, carntro (eg) olwyn, (ll. carntroeon olwyn); dril (eg) llaw, (ll. driliau llaw).

    wheel track width, lled trac yr olwynion.

    cog-wheel, olwyn gocos.

    idler wheels, olwynion (ell) cyswllt.

    sprocket-wheels, olwynion (ell) sbroced.

whetstone, hogfaen (eg), (ll. hogfeini); carreg (eb) hogi; calen (hogi) (eb).

whey, maidd (eg).

whirlwind, chwyrlwynt (eg), -oedd; corwynt (eg), -oedd.

white blood cells, celloedd gwyn y gwaed (ell); corffilod gwyn y gwaed (ell).

    white heat, gwres (eg) gwynias.

wholesale, cyfanwerth (eg); cyfanwerthol (ans).

    wholesaler, cyfanwerthwr (eg), (ll. cyfanwerthwyr).

wide, llydan (ans).

    widen, lledu (be).

    width, lled (eg), -au.

    wheel width, lled yr olwynion.

wilt, gwywo (be).

    wilting, lledwywo (be).

winch, wins (eb), -ys; winsio (be).

wind, dirwyn (be).

    winding, dirwyniad (eg), -au; weindiad (eg), -au; weindio (be).

wind, gwynt (eg), -oedd.

    wind-break, atalfa (eb) wynt, (ll. atalfeydd gwynt).

    wind gap, bwlch (eg) gwynt, (ll. bylchau gwynt); oerddrws (eg), (ll. oerddrysau).

    windscreen, sgrîn (wb) wynt; ffenestr (eb) flaen.

    windward, atwynt (ans).

    windward side, ochr atwynt.

    leeward, cysgodol (ans).

    leeward side, ochr gysgodol.

    dominant wind, gwynt cryfaf.

    ice-cold wind, rhewynt.

    prevailing wind, prifwynt, -oedd.

    gale, tymestl (eb), (ll. tymhestloedd).

    gust, chwythwm (eg), (ll. chwythymau); cwthwm (eg), (ll. cwthymau).

    hurricane, corwynt (eg), -oedd.

squall, hyrddwynt (eg); sgôl (eg), (ll. sgoliau).

windrow, rhenc (eb), -iau; rhencio (be).

    windrower, rhenciwr (eg).

    windrowing, rhencio (be).

wing, adain (eb), (ll. adenydd).

    winged (insect, fruit), adeiniog (ans).

wintering, gaeafu (be).

    winter keep, bwyd (eg) gaeaf.

wiper, sychydd (eg), -ion; sychwr (eg), (ll. sychwyr).

    weed wiper, chwyn sychydd.

wire, gwifren (eb), (ll. gwifrau); weiar (eb), -au, -s; gwifrio (be); gwifro (be); weirio (be).

    wire brush, brws (eg) gwifrau/weiar; brws crafu.

    wire coil, coil (eg) wifren, (ll. coil gwifrau).

    wire nail, hoelen (eb) gron.

    wire netting, weiar netin.

    wire wool, gwlân (eg) dur.

    wired, gwifrog (ans).

    wiring, gwifriad (eg), -au; weiriad (eg), -au.

    wireworm (click beetle), hoelen ddaear (eb), (ll. hoelion daear).

    bare wire, gwifren noeth.

    barbed wire, gwifren bigog; weiar bigog.

    earth wire, gwifren/weiar ddaearu.

withdrawal period, cyfnod (eg) ciliad.

womb, croth (eb), -au.

wood-fibre, ffibr (eg) coed, (ll. ffibrau coed).

    wooden tongue, tafod (eg) pren.

    woodland, coetir (eg), -oedd.

wool, gwlân (eg), (ll. gwlanoedd).

    wool(len) industry, diwydiant (eg) gwlân.

    woolly, gwlanog (ans).

    crimp wool, crych (eg) gwlân.

    scour wool, gwlân (eg) sgwriedig.

    wire wool, gwlân (eg) dur.

worker, gweithiwr (eg), (ll. gweithwyr).

    working edge, ymyl (eg) gweithio.

    working face, wyneb (eg) gweithio.

    workshop, gweithdy (eg), (ll. gweithdai).

    agricultural worker, gweithiwr amaethyddol.

    manual worker, gweithiwr bôn braich; labrwr (eg).

worm, llyngyren (eb), (ll. llyngyr).

    worm drive, gyriad (eg) cripian.

    worm-wheel, olwyn (eg) gripian, (ll. olwynion cripian).

    bowel worms, llyngyr y perfedd.

roundworm, llyngyren gron, (ll. llyngyr crwn).

tapeworm, llyngyren ruban, (ll. llyngyr rhuban).

wound, briw (eg), -iau; clwyf (eg), -au; archoll (eb), -ion.

incised wound, clwyf agennog; archoll agennog.

punctured wound, clwyf brath; archoll frath.

wrap (wool), lapio (be).

wrench, tyndro (eg), -eon.

adjustable wrench, tyndro cymwysadwy.

hand wrench, tyndro llaw.

instant grip wrench, tyndro gafael ebrwydd.

pipe wrench, tyndro peipen/piben.

self-grip wrench, tyndro hunanafael.

torque wrench, tyndro torch.

wrinkle, crychni (eg).

wrinkled, crych (ans).

Y

Y virus, firws Y.

yard, 1. llathen (eb), -ni; llath (eb), -au.

2. buarth (eg), -au; clos (eg), -ydd; iard (eb), (ll. iardiau, ierdydd).

yard and parlour, iard a pharlwr.

collecting yard, iard gasglu.

covered yard, iard dan do.

crew yard, iard wartheg.

yawn, dylyfu gên (be); gapo (be).

yeast, burum (eg), -au.

yellow rust, rhwd (eg) melyn.

yew, ywen (eb), (ll. yw).

yield, cynnyrch (eg).

peak yield, pinacl (eg) cynnyrch.

yolk (gland), chwarren (eb) felynwy.

yolk (sac), cwd (eg) melynwy.

Yorkshire boarding, estyll Swydd Efrog (ell).

Yorkshire Fog, maeswellt (ell) blewog.

Z

zero, sero (eg).

    zero grazing, pori sero.

zinc, sinc (eg).

zoonoses, swonoses (ell).

zygote, sygot (eg), -au.

zymase, symas (eg).